Homero

ODISSEIA I

TELEMAQUIA

Edição bilíngue em três volumes

Tradução do grego, introdução e análise de
DONALDO SCHÜLER

www.lpm.com.br

L&PM POCKET

Coleção **L&PM** POCKET, vol. 593

Texto de acordo com a nova ortografia.

Título original: ΟΔΥΣΣΕΙΑ

Primeira edição na Coleção **L&PM** POCKET: abril de 2007
Esta reimpressão: agosto de 2014

Capa: Néktar Design
Imagem da capa: *Os cavalos de Netuno*. Ilustração de Walter Crane, século XX.
   © Rue des Archives/CCI
Revisão: Bianca Pasqualini

CIP-Brasil. Catalogação na Fonte
Sindicato Nacional dos Editores de Livros, RJ.

H726o
v.1

Homero
   Odisseia, v.1: Telemaquia / Homero ; tradução do grego, introdução e análise de Donaldo Schüler. – Porto Alegre, RS: L&PM, 2014.
   160p. – (Coleção L&PM POCKET ; v. 593)

     Tradução de: ΟΔΥΣΣΕΙΑ
     ISBN 978-85-254-1636-0

   1. Poesia grega. I. Schüler, Donaldo, 1932-. II. Título. III. Título: Telemaquia. III. Série.

07-0747.   CDD: 881
                              CDU: 821.14'02-1

© Donaldo Schüler, 2007

Todos os direitos desta edição reservados a L&PM Editores
Rua Comendador Coruja, 314, loja 9 – Floresta – 90220-180
Porto Alegre – RS – Brasil / Fone: 51.3225-5777 – Fax: 51.3221.5380

Pedidos & Depto. Comercial: vendas@lpm.com.br
Fale conosco: info@lpm.com.br
www.lpm.com.br

Impresso no Brasil
Inverno de 2014

ODISSEIA I

TELEMAQUIA

Edição bilíngue em três volumes

Leia também na Coleção **L**&**PM** POCKET:

Odisseia II: Regresso – Homero
Odisseia III: Ítaca – Homero

As fenícias – Eurípides
Antígona – Sófocles
Édipo Rei – Sófocles
Édipo em Colono – Sófocles
Lisístrata: A greve do sexo – Aristófanes
Os sete contra Tebas – Ésquilo

Sumário

Por que ler a *Odisseia*? – *Donaldo Schüler* / 7

Odisseia I – Telemaquia / 11

    ΟΔΥΣΣΕΙΑΣ Α / 12
    Canto 1 / 13
    ΟΔΥΣΣΕΙΑΣ Β / 38
    Canto 2 / 39
    ΟΔΥΣΣΕΙΑΣ Γ / 62
    Canto 3 / 63
    ΟΔΥΣΣΕΙΑΣ Δ / 90
    Canto 4 / 91

Odisseia, a epopeia das Auroras / 139

Notas do Editor / 155

Sobre o tradutor / 157

Por que ler a *Odisseia*?

Donaldo Schüler

A *Odisseia* nunca deixou de ser lida. Esteve nas mãos de Virgílio, de Camões, de Joyce, de Ezra Pound, de Guimarães Rosa, de García Márquez. Em momentos decisivos, a *Odisseia* abalou a literatura ocidental. Por que deixaríamos de lê-la agora? Como a *Ilíada,* a autoria da *Odisseia* é atribuída a Homero, um autor legendário do século IX antes de Cristo, nascido, ao que supunham, numa das cidades gregas da Ásia Menor. Vale uma rápida comparação da *Ilíada,* primorosamente traduzida por Haroldo de Campos, com a *Odisseia.*

A *Odisseia* percorre, de certa forma, caminho contrário ao da *Ilíada.* A epopeia que narra as aventuras de Odisseu dilata tempo, espaço e ação. Permanece o princípio de que a narrativa não ultrapasse, em tamanho, a capacidade de memorização. Embora Odisseu esteja envolvido em aventuras marítimas por dez anos, o narrador o apanha em Ogígia, uma ilha misteriosa nas proximidades de Ítaca. Em algumas semanas, o herói, livrando-se do cativeiro de uma ninfa, chega à sua terra, depois de breve estada em Esquéria, a ilha dos feáceos. Homero rompe, entretanto, a unidade do reduzido tempo desta última etapa, convertendo o herói em narrador de suas próprias aventuras, expediente estranho à *Ilíada*. Recebido pela corte de Alcínoo, Odisseu rememora para um auditório fascinado o que lhe aconteceu desde a saída de Troia até à prisão de sete anos em Ogígia. Entre as doze aventuras lembradas em ordem cronológica, Odisseu se demora naquelas que lhe ilustram a inteligência e a ousadia, voando sobre insucessos.

Em vez de concentrar a ação, a *Odisseia* mostra-nos, no primeiro plano, Odisseu atuar em três lugares distintos: Ogígia, Esquéria, Ítaca. O espaço amplia-se ainda mais se a ele acrescentarmos os episódios narrados pelo protagonista. A diversificação espacial já estava prevista na introdução. Ouvimos que Odisseu conheceu muitas cidades e a índole de muitos homens. Alguns homeristas observam a divergência entre esta afirmação e as fantásticas viagens de Odisseu em que aparece uma única cidade, a capital do reino de Alcínoo. Há que lembrar, entretanto, a obstinada decisão de considerar o mundo grego como o único civilizado. O navegador que se distancia dele enfrenta o desproporcional, o desmedido, o desumano, o caótico. Curiosamente, nas ocasiões em que Odisseu mente sobre as suas viagens, a normalidade se restaura, pontilhada de cidades, mas, quando relata fatos pretensamente reais, surpreende-nos com ninfas e gigantes. Se devemos procurar a verdade na mentira, chegamos à conclusão de que Homero conhecia histórias de navegações plausíveis, transfiguradas nos cantos, em meio a lendas de vária origem, encanto do poema, verossímeis em caóticas periferias.

Apropriando-se do espaço fantástico, o autor da *Odisseia* ganha para a literatura novos territórios. Comparada com a *Odisseia*, a *Ilíada* é pouco imaginativa, já que nos amarra ao que confirmam os sentidos. A *Odisseia* nos libera o rico mundo dos sonhos, assustadores e reais, embora contrários à experiência cotidiana. Também por este caminho a *Odisseia* nos ensina a desbravar o mundo interior. Nascidos e criados num continente em que bebemos o fantástico com o leite materno, haja vista os romancistas do realismo mágico, podemos sentir melhor a verdade das narrações de Odisseu do que a culta Europa de que somos periferia. Os escritores latino-americanos da segunda metade do século passado repetiram a homérica incorporação do fantástico, libertando-nos do confinamento ao sensorialmente constatado.

Ao contrário da *Ilíada*, a *Odisseia* desdobra-se em três conjuntos distintos: os quatro cantos iniciais em que é protagonista Telêmaco, as aventuras de Odisseu e a reconquista do palácio. Atentos a esta divisão, críticos sugeriram a existência de três poemas originariamente separados, amalgamados, por fim, em um único. A hipótese, embora plausível, é inverificável. Farta tradição oral anterior à *Odisseia* está assegurada. Basta comparar a *Odisseia* com os contos recolhidos por Grimm e Andersen para constatar a dívida da epopeia grega à literatura popular cultivada em outras regiões. Fontes orais não negam, entretanto, a existência de um poeta de qualidades privilegiadas. Devemos a ele a reorganização e a recriação do legado.

As convenções de tempo, espaço e ação inventadas na *Ilíada*, ao serem inteligentemente preservadas e modificadas na *Odisseia*, evidenciam a existência de uma tradição culta que não pode ser confundida com a espontaneidade das invenções populares. Acrescente-se a elaboração de personagens sem paralelo na *Ilíada* e no folclore.

O poema é dominado do princípio ao fim pela figura singular de Odisseu. O autor da *Odisseia* assume o compromisso de cantar o herói versátil, não uma de suas qualidades. Se a fúria do Aquiles ausente destaca vários heróis, a presença polimorfa de Odisseu obscurece a atuação dos demais. Entre os caracteres criados, destaca-se a galeria das mulheres, aplaudida em todos os séculos. Circunstâncias diversificadas iluminam o herói como orador, cavalheiro, trapaceiro, guerreiro, pai, esposo, amante, estrangeiro, rei, líder. Enquanto que o campo de batalha requer, na *Ilíada*, número limitado de qualidades, situações imprevistas solicitam aqui respostas para as quais não houve preparo. O Odisseu narrador surge na corte de Alcínoo. É também aí que se vê a urbanidade do guerreiro no trato com a rainha, com o rei, com a princesa, com os príncipes e os nobres.

Como não há exércitos inimigos que afastem o herói do objetivo, Homero cria obstáculos de outra ordem. A natureza, cuja força encheu de espanto o homem desde sempre, é uma delas. Ela ataca com tempestades, estreitos rochosos, mares desconhecidos, escassez de alimentos. Para vencê-la, requer-se inteligência, além de destreza, coragem e força. Sem o amparo de ninguém, Odisseu inventa soluções para todas as dificuldades. Os deuses, que decretaram o seu regresso à pátria, ofereceram imprecisos recursos para realizá-lo. Odisseu é vitorioso por ser quem é.

Embora a epopeia valorize o momento que passa, não omite preocupações pelo que há de vir. Odisseu deixou impressão mais profunda nos leitores do que Aquiles. A personagem foi persistentemente retrabalhada, deixando versões da mais alta importância. Muitos fatores terão contribuído para o sucesso de Odisseu. Dificilmente se mexe no temperamento irado de Aquiles. As múltiplas faces de Odisseu oferecem ao leitor a oportunidade de selecionar as que lhe convêm. Joyce explora a busca e a viagem, dando ao navegador o mar de dúvidas, indagações, andanças inócuas do angustiado homem do século XX.

Pretendemos, nesta tradução, afrouxar a carga sintática e vocabular que abafa vozes juvenis. Mantemos diálogo entre nosso tempo e outros tempos. Tivemos em mira fazer personagens reviverem em nosso dizer coloquial. Se xingam, que xinguem em português. Quisemos criar ritmos livres, não subordinados a modelos, movimentos próximos à mobilidade do hexâmetro homérico. As repetições, lembrança da literatura oral, aparecerem modificadas, moduladas, contornadas em consonância com procedimentos da literatura escrita. Não estranhe *Odisseu* em lugar de *Ulisses*. A preservação de *Odisseu* nos permite reinventar truques homéricos: a invenção e o uso estratégico do nome. Percebida a sonoridade grega, insistimos em sonoridades na tradução. A sonoridade de *Finnegans Wake* bate nas paredes da epopeia de Homero.

Revisitadas discussões entre analíticos (corrente que defende a autoria múltipla) e unitários (corrente que defende a ideia de um só autor), optamos por uma divisão em três seções da *nossa Odisseia*: Telemaquia (1 – 4), Regresso (5 – 12), Ítaca (13 – 24). Adotamos, para a *Odisseia*, o mesmo critério que nos orientou no exame da construção da *Ilíada*. Não negamos a rica tradição oral, trabalho de muitos cantores e responsável por níveis linguísticos, estratos culturais e contradições. Não podemos negar, entretanto, a presença de um poeta central, a quem atribuímos a cuidadosa elaboração dos episódios, a invenção de caracteres, a variedade estilística. A literatura e o pensamento ocidentais foram construídos sobre Homero. A biografia de Homero são as epopeias homéricas. Precisamos de outra? Os argumentos levantados contra a teoria da autoria única das duas epopeias não são convincentes. Admitamos que a *Ilíada* e a *Odisseia* procedam de um só autor em dois momentos privilegiados de sua farta criação literária.

Em literatura, a erudição filológica está subordinada à realização poética.

ODISSEIA I

TELEMAQUIA

ΟΔΥΣΣΕΙΑΣ Α

ἄνδρα μοι ἔννεπε, μοῦσα, πολύτροπον, ὃς μάλα πολλὰ
πλάγχθη, ἐπεὶ Τροίης ἱερὸν πτολίεθρον ἔπερσεν·
πολλῶν δ' ἀνθρώπων ἴδεν ἄστεα καὶ νόον ἔγνω,
πολλὰ δ' ὅ γ' ἐν πόντῳ πάθεν ἄλγεα ὃν κατὰ θυμόν,
ἀρνύμενος ἥν τε ψυχὴν καὶ νόστον ἑταίρων. 05
ἀλλ' οὐδ' ὣς ἑτάρους ἐρρύσατο, ἱέμενός περ·
αὐτῶν γὰρ σφετέρῃσιν ἀτασθαλίῃσιν ὄλοντο,
νήπιοι, οἳ κατὰ βοῦς Ὑπερίονος Ἡελίοιο
ἤσθιον· αὐτὰρ ὁ τοῖσιν ἀφείλετο νόστιμον ἦμαρ.
τῶν ἁμόθεν γε, θεά, θύγατερ Διός, εἰπὲ καὶ ἡμῖν. 10

ἔνθ' ἄλλοι μὲν πάντες, ὅσοι φύγον αἰπὺν ὄλεθρον,
οἴκοι ἔσαν, πόλεμόν τε πεφευγότες ἠδὲ θάλασσαν·
τὸν δ' οἶον νόστου κεχρημένον ἠδὲ γυναικὸς
νύμφη πότνι' ἔρυκε Καλυψὼ δῖα θεάων
ἐν σπέσσι γλαφυροῖσι, λιλαιομένη πόσιν εἶναι. 15
ἀλλ' ὅτε δὴ ἔτος ἦλθε περιπλομένων ἐνιαυτῶν,
τῷ οἱ ἐπεκλώσαντο θεοὶ οἶκόνδε νέεσθαι
εἰς Ἰθάκην, οὐδ' ἔνθα πεφυγμένος ἦεν ἀέθλων
καὶ μετὰ οἷσι φίλοισι. θεοὶ δ' ἐλέαιρον ἅπαντες
νόσφι Ποσειδάωνος· ὁ δ' ἀσπερχὲς μενέαινεν 20
ἀντιθέῳ Ὀδυσῆι πάρος ἣν γαῖαν ἱκέσθαι.
ἀλλ' ὁ μὲν Αἰθίοπας μετεκίαθε τηλόθ' ἐόντας,
Αἰθίοπας τοὶ διχθὰ δεδαίαται, ἔσχατοι ἀνδρῶν,
οἱ μὲν δυσομένου Ὑπερίονος οἱ δ' ἀνιόντος,
ἀντιόων ταύρων τε καὶ ἀρνειῶν ἑκατόμβης. 25
ἔνθ' ὅ γ' ἐτέρπετο δαιτὶ παρήμενος· οἱ δὲ δὴ ἄλλοι
Ζηνὸς ἐνὶ μεγάροισιν Ὀλυμπίου ἁθρόοι ἦσαν.
τοῖσι δὲ μύθων ἦρχε πατὴρ ἀνδρῶν τε θεῶν τε·
μνήσατο γὰρ κατὰ θυμὸν ἀμύμονος Αἰγίσθοιο,
τόν ῥ' Ἀγαμεμνονίδης τηλεκλυτὸς ἔκταν' Ὀρέστης· 30
τοῦ ὅ γ' ἐπιμνησθεὶς ἔπε' ἀθανάτοισι μετηύδα·
"ὦ πόποι, οἷον δή νυ θεοὺς βροτοὶ αἰτιόωνται·

Canto 1

O homem canta-me, ó Musa, o multifacetado, que muitos
males padeceu, depois de arrasar Troia, cidadela sacra.
Viu cidades e conheceu costumes de muitos mortais. No
mar, inúmeras dores feriram-lhe o coração, empenhado em
salvar a vida e garantir o regresso dos companheiros. Mas   05
não conseguiu contê-los, ainda que abnegado. Pereceram,
vítimas de suas presunçosas loucuras. Crianções! Forraram
a pança com a carne das vacas de Hélio Hipérion. Este os
privou, por isso, do dia do regresso. Das muitas façanhas,
Deusa, filha de Zeus, conta-nos algumas a teu critério.   10

Os outros, todos os que tinham escapado da tenebrosa
ruína, estavam em casa, salvos da guerra e do mar.
Mas Odisseu, embora desejasse o regresso e a mulher,
vivia numa envolvente caverna, prisioneiro de Calipso,
ninfa senhorial. Esta o queria como esposo. Por isso,   15
quando, volvidas as estações, veio, por determinação
divina, o ano do retorno ao lar, Odisseu ainda não
estava em Ítaca, entre os seus, livre de provas. Os
deuses lhe eram propícios, exceto Posidon. Cultivava
contra Odisseu ódio violento, abrandado só quando   20
o herói desembarcou em sua terra. Posidon partira
para visitar os etíopes, gente remotíssima, de cara
queimada. Uns vivem no Ocidente, onde Hipérion,
passando sobre nós, desaparece, outros, no Oriente
onde ele nasce. Fora receber oferendas de touros e de   25
ovelhas. Banqueteava-se com eles. Entrementes, outros
deuses achavam-se congregados no palácio de Zeus.
O pai dos homens e dos deuses fez uso da palavra
primeiro. Viera-lhe à memória a imagem de Egisto, um
nobre, morto por Orestes, renomado filho de Agamênon[1].   30
Zeus, lembrado dele, dirigiu-se aos imortais: "Meus
caros, os homens costumam incriminar os deuses. De

ἐξ ἡμέων γάρ φασι κάκ' ἔμμεναι, οἱ δὲ καὶ αὐτοὶ
σφῆσιν ἀτασθαλίῃσιν ὑπὲρ μόρον ἄλγε' ἔχουσιν,
ὡς καὶ νῦν Αἴγισθος ὑπὲρ μόρον Ἀτρεΐδαο   35
γῆμ' ἄλοχον μνηστήν, τὸν δ' ἔκτανε νοστήσαντα,
εἰδὼς αἰπὺν ὄλεθρον, ἐπεὶ πρό οἱ εἴπομεν ἡμεῖς,
Ἑρμείαν πέμψαντες, ἐΰσκοπον ἀργεϊφόντην,
μήτ' αὐτὸν κτείνειν μήτε μνάασθαι ἄκοιτιν:
ἐκ γὰρ Ὀρέσταο τίσις ἔσσεται Ἀτρεΐδαο,   40
ὁππότ' ἂν ἡβήσῃ τε καὶ ἧς ἱμείρεται αἴης.
ὣς ἔφαθ' Ἑρμείας, ἀλλ' οὐ φρένας Αἰγίσθοιο
πεῖθ' ἀγαθὰ φρονέων: νῦν δ' ἀθρόα πάντ' ἀπέτισεν."
 τὸν δ' ἠμείβετ' ἔπειτα θεά, γλαυκῶπις Ἀθήνη:
"ὦ πάτερ ἡμέτερε Κρονίδη, ὕπατε κρειόντων,   45
καὶ λίην κεῖνός γε ἐοικότι κεῖται ὀλέθρῳ:
ὡς ἀπόλοιτο καὶ ἄλλος, ὅτις τοιαῦτά γε ῥέζοι:
ἀλλά μοι ἀμφ' Ὀδυσῆϊ δαΐφρονι δαίεται ἦτορ,
δυσμόρῳ, ὃς δὴ δηθὰ φίλων ἄπο πήματα πάσχει
νήσῳ ἐν ἀμφιρύτῃ, ὅθι τ' ὀμφαλός ἐστι θαλάσσης.   50
νῆσος δενδρήεσσα, θεὰ δ' ἐν δώματα ναίει,
Ἄτλαντος θυγάτηρ ὀλοόφρονος, ὅς τε θαλάσσης
πάσης βένθεα οἶδεν, ἔχει δέ τε κίονας αὐτὸς
μακράς, αἳ γαῖάν τε καὶ οὐρανὸν ἀμφὶς ἔχουσιν.
τοῦ θυγάτηρ δύστηνον ὀδυρόμενον κατερύκει,   55
αἰεὶ δὲ μαλακοῖσι καὶ αἱμυλίοισι λόγοισιν
θέλγει, ὅπως Ἰθάκης ἐπιλήσεται: αὐτὰρ Ὀδυσσεύς,
ἱέμενος καὶ καπνὸν ἀποθρῴσκοντα νοῆσαι
ἧς γαίης, θανέειν ἱμείρεται. οὐδέ νυ σοί περ
ἐντρέπεται φίλον ἦτορ, Ὀλύμπιε. οὔ νύ τ' Ὀδυσσεὺς   60
Ἀργείων παρὰ νηυσὶ χαρίζετο ἱερὰ ῥέζων
Τροίῃ ἐν εὐρείῃ; τί νύ οἱ τόσον ὠδύσαο, Ζεῦ;"
 τὴν δ' ἀπαμειβόμενος προσέφη νεφεληγερέτα Ζεύς:"
"τέκνον ἐμόν, ποῖόν σε ἔπος φύγεν ἕρκος ὀδόντων.
πῶς ἂν ἔπειτ' Ὀδυσῆος ἐγὼ θείοιο λαθοίμην,   65
ὃς περὶ μὲν νόον ἐστὶ βροτῶν, περὶ δ' ἱρὰ θεοῖσιν
ἀθανάτοισιν ἔδωκε, τοὶ οὐρανὸν εὐρὺν ἔχουσιν;
ἀλλὰ Ποσειδάων γαιήοχος ἀσκελὲς αἰεὶ
Κύκλωπος κεχόλωται, ὃν ὀφθαλμοῦ ἀλάωσεν,

nós, dizem, vêm os males. Não consideram que eles
padecem aflições causadas por desmandos próprios,
contrariando Moros[2]. Contra Moros, Egisto uniu-se   35
à esposa de Agamênon. Este morreu assassinado ao
regressar de Troia. O golpe veio do sedutor, embora o
assassino não ignorasse a consequência do crime, pois
nós o tínhamos advertido, enviando-lhe Hermes. Que
não matasse o rei, dissemos, não seduzisse a esposa,   40
pois de Orestes, um Átrida[3], maduro e desejoso de
regressar, lhe viria a punição. A mensagem foi essa.
Apesar das boas intenções, o enviado não conseguiu
dissuadi-lo. Esse pagou pelos seus erros." De olhar
vivo, contestou Atena: "Cronida[4], nosso pai, soberano   45
de poderosos, Egisto recebeu castigo merecido.
A um que se comporte assim aconteça o mesmo!
Pulsa-me, porém, por outro o coração. Sabes do sábio
Odisseu? O desdito padece pena, há muito, longe dos
seus, em ilha cercada de águas profundas, umbigo do   50
mar, lugar de densa floresta, domínio de uma filha de
de Atlas, cujo pensar devastador penetra até mesmo
em profundos abismos marítimos, deus que sustenta
as colunas gigantescas que mantêm afastados a terra
e seu céu. É a filha deste que retém o odiado Odisseu.   55
Vem com magias: palavras aveludadas, sedutoras
para lhe varrer Ítaca da memória. Mas Odisseu
só pensa em rever as colunas de fumo que se elevam
em sua terra. Quer morrer lá. Isso não te amolece
o coração, Olímpio? Não recebeste tu desse mesmo
Odisseu sacrifícios nas planícies de Troia junto às   60
naus argivas? Zeus, por que tanto ódio a Odisseu?"
Disse-lhe, em resposta, Zeus Pastor-de-Nuvens:
"Minha filha, que discurso te saltou a sebe dos
dentes! Como poderia eu esquecer o divino Odisseu,   65
superior aos mortais em saber, generoso em oferendas
aos senhores do céu imenso, seres que não morremos?
Incansável no ódio lhe é Posidon Ampara-Terra.
A cólera lhe vem do ciclope de olho vazado (obra de

ἀντίθεον Πολύφημον, ὅου κράτος ἐστὶ μέγιστον 70
πᾶσιν Κυκλώπεσσι· Θόωσα δέ μιν τέκε νύμφη,
Φόρκυνος θυγάτηρ ἁλὸς ἀτρυγέτοιο μέδοντος,
ἐν σπέσσι γλαφυροῖσι Ποσειδάωνι μιγεῖσα.
ἐκ τοῦ δὴ Ὀδυσῆα Ποσειδάων ἐνοσίχθων
οὔ τι κατακτείνει, πλάζει δ' ἀπὸ πατρίδος αἴης. 75
ἀλλ' ἄγεθ', ἡμεῖς οἵδε περιφραζώμεθα πάντες
νόστον, ὅπως ἔλθῃσι· Ποσειδάων δὲ μεθήσει
ὃν χόλον· οὐ μὲν γάρ τι δυνήσεται ἀντία πάντων
ἀθανάτων ἀέκητι θεῶν ἐριδαινέμεν οἶος."
  τὸν δ' ἠμείβετ' ἔπειτα θεά, γλαυκῶπις Ἀθήνη· 80
"ὦ πάτερ ἡμέτερε Κρονίδη, ὕπατε κρειόντων,
εἰ μὲν δὴ νῦν τοῦτο φίλον μακάρεσσι θεοῖσιν,
νοστῆσαι Ὀδυσῆα πολύφρονα ὅνδε δόμονδε,
Ἑρμείαν μὲν ἔπειτα διάκτορον ἀργεϊφόντην
νῆσον ἐς Ὠγυγίην ὀτρύνομεν, ὄφρα τάχιστα 85
νύμφῃ ἐυπλοκάμῳ εἴπῃ νημερτέα βουλήν,
νόστον Ὀδυσσῆος ταλασίφρονος, ὥς κε νέηται·
αὐτὰρ ἐγὼν Ἰθάκηνδ' ἐσελεύσομαι, ὄφρα οἱ υἱὸν
μᾶλλον ἐποτρύνω καί οἱ μένος ἐν φρεσὶ θείω,
εἰς ἀγορὴν καλέσαντα κάρη κομόωντας Ἀχαιοὺς 90
πᾶσι μνηστήρεσσιν ἀπειπέμεν, οἵ τέ οἱ αἰεὶ
μῆλ' ἀδινὰ σφάζουσι καὶ εἰλίποδας ἕλικας βοῦς.
πέμψω δ' ἐς Σπάρτην τε καὶ ἐς Πύλον ἠμαθόεντα
νόστον πευσόμενον πατρὸς φίλου, ἤν που ἀκούσῃ,
ἠδ' ἵνα μιν κλέος ἐσθλὸν ἐν ἀνθρώποισιν ἔχῃσιν." 95

  ὣς εἰποῦσ' ὑπὸ ποσσὶν ἐδήσατο καλὰ πέδιλα,
ἀμβρόσια χρύσεια, τά μιν φέρον ἠμὲν ἐφ' ὑγρὴν
ἠδ' ἐπ' ἀπείρονα γαῖαν ἅμα πνοιῇς ἀνέμοιο·
εἵλετο δ' ἄλκιμον ἔγχος, ἀκαχμένον ὀξέι χαλκῷ,
βριθὺ μέγα στιβαρόν, τῷ δάμνησι στίχας ἀνδρῶν 100
ἡρώων, τοῖσίν τε κοτέσσεται ὀβριμοπάτρη.
βῆ δὲ κατ' Οὐλύμποιο καρήνων ἀίξασα,
στῆ δ' Ἰθάκης ἐνὶ δήμῳ ἐπὶ προθύροις Ὀδυσῆος,
οὐδοῦ ἐπ' αὐλείου· παλάμῃ δ' ἔχε χάλκεον ἔγχος,
εἰδομένη ξείνῳ, Ταφίων ἡγήτορι Μέντῃ. 105

Odisseu), o super-humano Polifemo, o mais robusto 70
de todos os ciclopes. A mãe dele se chamava Tóosa,
uma ninfa, filha de Fórcis, encarregado da cura do mar
sem messe. Essa passou pelos braços de Posidon. O
encontro se deu numa suntuosa caverna. Posidon
não odeia Odisseu com ódio de morte, só o mantém 75
errante, longe da pátria. Deliberemos juntos sobre o
regresso, sobre a maneira de ele achar a rota. Posidon
terá que abrandar a cólera. Não poderá manter aceso
o conflito contra a vontade de todos os imortais."
Respondeu-lhe a deusa dos olhos vivos, Atena: 80
"Caro Cronida, nosso pai, soberano de poderosos, se
nesta reunião é este o parecer dos bem-aventurados, que
o multi-habilidoso Odisseu regresse ao lar, convém que
Hermes, o mensageiro, o condutor, o matador de Argos,
se apresse e vá voando à ilha de Ogígia para levar o 85
indiscutível decreto à ninfa das fartas madeixas. Que
ela o cumpra! Entrementes, eu mesma irei a Ítaca para
animar Telêmaco. Quero infundir-lhe ardor. Deverá
convocar os aqueus[5] de esvoaçantes cabelos para uma 90
assembleia com a finalidade de conter os pretendentes.
Eles insistem em consumir-lhe ovelhas gordas e reses
que arrastam cascos luzentes, os bois. Eu o enviarei a
Esparta e à arenosa Pilos para saber do regresso do pai,
colher informações, ilustrar seu nome entre os povos." 95

Finda a fala, Atena calçou as sandálias: esplêndidas,
áureas, fulgurantes. Estas a conduziam tanto na
superfície úmida quanto no solo sem fronteiras, ao
sopro do vento. Elegeu longa lança, de pontiagudo,
penetrante ferro: compacto, denso, danoso mesmo 100
a combatentes viris, a linhas de heróis hostis à filha do
forte Pai. Desceu da cidadela olímpia em saltos de
cabra. Deteve-se em Ítaca, na cidade, ante o solar de
Odisseu, no vestíbulo da sala. Lança de bronze em
punho, tinha o aspecto de um estrangeiro, um guerreiro 105

εὗρε δ' ἄρα μνηστῆρας ἀγήνορας. οἱ μὲν ἔπειτα
πεσσοῖσι προπάροιθε θυράων θυμὸν ἔτερπον
ἥμενοι ἐν ῥινοῖσι βοῶν, οὓς ἔκτανον αὐτοί·
κήρυκες δ' αὐτοῖσι καὶ ὀτρηροὶ θεράποντες
οἱ μὲν οἶνον ἔμισγον ἐνὶ κρητῆρσι καὶ ὕδωρ,					110
οἱ δ' αὖτε σπόγγοισι πολυτρήτοισι τραπέζας
νίζον καὶ πρότιθεν, τοὶ δὲ κρέα πολλὰ δατεῦντο.
τὴν δὲ πολὺ πρῶτος ἴδε Τηλέμαχος θεοειδής,
ἧστο γὰρ ἐν μνηστῆρσι φίλον τετιημένος ἦτορ,
ὀσσόμενος πατέρ' ἐσθλὸν ἐνὶ φρεσίν, εἴ ποθεν ἐλθὼν		115
μνηστήρων τῶν μὲν σκέδασιν κατὰ δώματα θείη,
τιμὴν δ' αὐτὸς ἔχοι καὶ δώμασιν οἷσιν ἀνάσσοι.
τὰ φρονέων, μνηστῆρσι μεθήμενος, εἴσιδ' Ἀθήνην.
βῆ δ' ἰθὺς προθύροιο, νεμεσσήθη δ' ἐνὶ θυμῷ
ξεῖνον δηθὰ θύρησιν ἐφεστάμεν· ἐγγύθι δὲ στὰς			120
χεῖρ' ἕλε δεξιτερὴν καὶ ἐδέξατο χάλκεον ἔγχος,
καί μιν φωνήσας ἔπεα πτερόεντα προσηύδα·
"χαῖρε, ξεῖνε, παρ' ἄμμι φιλήσεαι· αὐτὰρ ἔπειτα
δείπνου πασσάμενος μυθήσεαι ὅττεό σε χρή."
"ὣς εἰπὼν ἡγεῖθ', ἡ δ' ἕσπετο Παλλὰς Ἀθήνη.			125
οἱ δ' ὅτε δή ῥ' ἔντοσθεν ἔσαν δόμου ὑψηλοῖο,
ἔγχος μέν ῥ' ἔστησε φέρων πρὸς κίονα μακρὴν
δουροδόκης ἔντοσθεν ἐυξόου, ἔνθα περ ἄλλα
ἔγχε' Ὀδυσσῆος ταλασίφρονος ἵστατο πολλά,
αὐτὴν δ' ἐς θρόνον εἷσεν ἄγων, ὑπὸ λῖτα πετάσσας,		130
καλὸν δαιδάλεον· ὑπὸ δὲ θρῆνυς ποσὶν ἦεν.
πὰρ δ' αὐτὸς κλισμὸν θέτο ποικίλον, ἔκτοθεν ἄλλων
μνηστήρων, μὴ ξεῖνος ἀνιηθεὶς ὀρυμαγδῷ
δείπνῳ ἁδήσειεν, ὑπερφιάλοισι μετελθών,
ἠδ' ἵνα μιν περὶ πατρὸς ἀποιχομένοιο ἔροιτο.			135
χέρνιβα δ' ἀμφίπολος προχόῳ ἐπέχευε φέρουσα
καλῇ χρυσείῃ, ὑπὲρ ἀργυρέοιο λέβητος,
νίψασθαι· παρὰ δὲ ξεστὴν ἐτάνυσσε τράπεζαν.
σῖτον δ' αἰδοίη ταμίη παρέθηκε φέρουσα,
εἴδατα πόλλ' ἐπιθεῖσα, χαριζομένη παρεόντων·			140
δαιτρὸς δὲ κρειῶν πίνακας παρέθηκεν ἀείρας
παντοίων, παρὰ δέ σφι τίθει χρύσεια κύπελλα·

táfio, Mentes. Estava na presença de arrogantes.
Dados distraíam os pretendentes no pátio fronteiro,
sentados em peles de bois que eles próprios tinham
carneado. Arautos prestimosos os cercavam. Uns lhes
preparavam deliciosas poções de água e vinho, outros   110
arrumavam as mesas. Limpavam-nas com esponjas
macias e as cobriam com porções variadas de carne.
Telêmaco, de porte divino, percebeu-a primeiro. Ele
movia-se de coração pesado. Trazia viva no peito
a imagem do pai. Queria que regressasse para limpar   115
o palácio dos indesejáveis, pretensiosa peste. O ausente
ilustraria assim seu nome e reinaria sobre o que é
seu. Isso lhe passava pela mente, rodeado de arrogantes,
quando lhe apareceu Atena. O jovem dirigiu-se
pronto ao vestíbulo, preocupado. Há quanto tempo   120
o estranho esperava à porta? Aproximou-se, estendeu-
-lhe a destra, recebeu a lança de bronze e, dirigindo-
-se a ele, proferiu estas palavras aladas: "Bem-vindo,
estrangeiro. Que te sintas bem! Antes de tudo, toma
lugar à mesa. Mais tarde me dirás o que te traz." Falou   125
e a conduziu. Palas Atena o seguiu. Já no interior da
imponente mansão, Telêmaco levou a lança até uma
coluna sólida, lugar cuidadosamente preparado para a
guarda de instrumentos de guerra. Viam-se ali muitas
armas do sofrido Odisseu. Indicou-lhe o assento. O   130
pano que o revestia era uma esmerada obra de arte,
linho com ricos ornamentos. Ofereceu-lhe uma
banqueta para os pés. Dispôs a seu lado uma poltrona.
Estavam separados dos outros para que a refeição do
estrangeiro não fosse perturbada pela ruidosa algazarra   135
do bando insolente. Além do mais, pretendia fazer-lhe
perguntas sobre o pai ausente. De um luzente jarro
de ouro, apoiado numa baixela de prata nas mãos
de uma serviçal, a água escorria purificadora sobre
as mãos do hóspede. Acomodados a uma mesa   140
limpinha, uma governanta respeitável servia-lhes pão,
além de variadas iguarias, liberalmente oferecidas.

κῆρυξ δ' αὐτοῖσιν θάμ' ἐπῴχετο οἰνοχοεύων.
ἐς δ' ἦλθον μνηστῆρες ἀγήνορες. οἱ μὲν ἔπειτα
ἑξείης ἕζοντο κατὰ κλισμούς τε θρόνους τε, 145
τοῖσι δὲ κήρυκες μὲν ὕδωρ ἐπὶ χεῖρας ἔχευαν,
σῖτον δὲ δμῳαὶ παρενήνεον ἐν κανέοισιν,
κοῦροι δὲ κρητῆρας ἐπεστέψαντο ποτοῖο.
οἱ δ' ἐπ' ὀνείαθ' ἑτοῖμα προκείμενα χεῖρας ἴαλλον.
αὐτὰρ ἐπεὶ πόσιος καὶ ἐδητύος ἐξ ἔρον ἕντο 150
μνηστῆρες, τοῖσιν μὲν ἐνὶ φρεσὶν ἄλλα μεμήλει,
μολπή τ' ὀρχηστύς τε: τὰ γάρ τ' ἀναθήματα δαιτός:
κῆρυξ δ' ἐν χερσὶν κίθαριν περικαλλέα θῆκεν
Φημίῳ, ὅς ῥ' ἤειδε παρὰ μνηστῆρσιν ἀνάγκῃ.
ἦ τοι ὁ φορμίζων ἀνεβάλλετο καλὸν ἀείδειν. 155
αὐτὰρ Τηλέμαχος προσέφη γλαυκῶπιν Ἀθήνην,
ἄγχι σχὼν κεφαλήν, ἵνα μὴ πευθοίαθ' οἱ ἄλλοι:
"ξεῖνε φίλ', ἦ καί μοι νεμεσήσεαι ὅττι κεν εἴπω;
τούτοισιν μὲν ταῦτα μέλει, κίθαρις καὶ ἀοιδή,
ῥεῖ', ἐπεὶ ἀλλότριον βίοτον νήποινον ἔδουσιν, 160
ἀνέρος, οὗ δή που λεύκ' ὀστέα πύθεται ὄμβρῳ
κείμεν' ἐπ' ἠπείρου, ἢ εἰν ἁλὶ κῦμα κυλίνδει.
εἰ κεῖνόν γ' Ἰθάκηνδε ἰδοίατο νοστήσαντα,
πάντες κ' ἀρησαίατ' ἐλαφρότεροι πόδας εἶναι
ἢ ἀφνειότεροι χρυσοῖό τε ἐσθῆτός τε. 165
νῦν δ' ὁ μὲν ὣς ἀπόλωλε κακὸν μόρον, οὐδέ τις ἡμῖν
θαλπωρή, εἴ πέρ τις ἐπιχθονίων ἀνθρώπων
φῇσιν ἐλεύσεσθαι: τοῦ δ' ὤλετο νόστιμον ἦμαρ.
ἀλλ' ἄγε μοι τόδε εἰπὲ καὶ ἀτρεκέως κατάλεξον:
τίς πόθεν εἰς ἀνδρῶν; πόθι τοι πόλις ἠδὲ τοκῆες; 170
ὁπποίης τ' ἐπὶ νηὸς ἀφίκεο: πῶς δέ σε ναῦται
ἤγαγον εἰς Ἰθάκην; τίνες ἔμμεναι εὐχετόωντο;
οὐ μὲν γὰρ τί σε πεζὸν ὀίομαι ἐνθάδ' ἱκέσθαι.
καί μοι τοῦτ' ἀγόρευσον ἐτήτυμον, ὄφρ' ἐῢ εἰδῶ,
ἠὲ νέον μεθέπεις ἦ καὶ πατρώιός ἐσσι 175
ξεῖνος, ἐπεὶ πολλοὶ ἴσαν ἀνέρες ἡμέτερον δῶ
ἄλλοι, ἐπεὶ καὶ κεῖνος ἐπίστροφος ἦν ἀνθρώπων."
τὸν δ' αὖτε προσέειπε θεά, γλαυκῶπις Ἀθήνη:
"τοιγὰρ ἐγώ τοι ταῦτα μάλ' ἀτρεκέως ἀγορεύσω.

Um assador apresentou-lhes sobre uma prancha toda
sorte de carnes. Os copos eram de ouro. Um arauto
não se cansava de enchê-los de vinho. Entraram os   145
inconvenientes. Acomodaram-se por ordem em
poltronas e majestosos assentos. Arautos banhavam-
-lhes as mãos. Escravas ofereciam-lhes pão de cestos
repletos. De jarras jorrava fulgurante o vinho aos
cálices. Os gananciosos estendiam as mãos às pranchas.   150
Fartos de comida, repletos de bebida, revolviam
outros prazeres no espírito: canto e dança para coroar
a festa. Um arauto colocou uma cítara invulgar nas
mãos de Fêmio, involuntário cantor dos pretendentes.
Vibram as cordas, o narrador se põe a modular um   155
canto comovente. Telêmaco dirigiu-se a Atena, de
olhos abertos ao que sucedia. O jovem rogou-lhe
que aproximasse a cabeça para não serem ouvidos:
"Caro amigo, não te incomodes com o que vou
dizer-te. Cítara e canto são a distração dessa gente.   160
Irresponsáveis! Consomem sem escrúpulos os bens
de outro, um homem cujos ossos descarnados talvez
estejam sendo corroídos na intempérie, perdidos por
aí, ou balouçam nas ondas do mar. Se o soubessem
devolvido a Ítaca, todos prefeririam, suplicantes, pés 165
velozes a ouro ou vestes vistosas. Agora, porém, como
pereceu de má morte, nenhuma esperança nos resta nem
quando algum forasteiro garante sua volta. Frustrado
lhe foi o dia do regresso. Vamos! Declara sem rodeios:
Quem és? Quem é teu povo? Onde fica tua cidade?   170
Quem são teus pais? Em que navio vieste? Como foi
que os nautas te trouxeram a Ítaca? Que nome os
ilustra? Não me digas que vieste a pé. Não me fales
com subterfúgios. Quero ter certeza. Vens aqui pela
primeira vez ou já frequentaste a casa de meu pai como 175
amigo? As portas da nossa casa abriam-se a muitos,
pois meu pai, indo e vindo, fez numerosas relações."
Fulgurou mistério nos olhos de Atena, quando ela lhe
respondeu: "Podes confiar no que vou dizer: Orgulho-

Μέντης Ἀγχιάλοιο δαΐφρονος εὔχομαι εἶναι 180
υἱός, ἀτὰρ Ταφίοισι φιληρέτμοισιν ἀνάσσω.
νῦν δ' ὧδε ξὺν νηὶ κατήλυθον ἠδ' ἑτάροισιν
πλέων ἐπὶ οἴνοπα πόντον ἐπ' ἀλλοθρόους ἀνθρώπους,
ἐς Τεμέσην μετὰ χαλκόν, ἄγω δ' αἴθωνα σίδηρον.
νηῦς δέ μοι ἥδ' ἕστηκεν ἐπ' ἀγροῦ νόσφι πόληος, 185
ἐν λιμένι Ῥείθρῳ ὑπὸ Νηΐῳ ὑλήεντι.
ξεῖνοι δ' ἀλλήλων πατρώιοι εὐχόμεθ' εἶναι
ἐξ ἀρχῆς, εἴ πέρ τε γέροντ' εἴρηαι ἐπελθὼν
Λαέρτην ἥρωα, τὸν οὐκέτι φασὶ πόλινδε
ἔρχεσθ', ἀλλ' ἀπάνευθεν ἐπ' ἀγροῦ πήματα πάσχειν 190
γρηὶ σὺν ἀμφιπόλῳ, ἥ οἱ βρῶσίν τε πόσιν τε
παρτιθεῖ, εὖτ' ἄν μιν κάματος κατὰ γυῖα λάβῃσιν
ἑρπύζοντ' ἀνὰ γουνὸν ἀλωῆς οἰνοπέδοιο.
νῦν δ' ἦλθον: δὴ γάρ μιν ἔφαντ' ἐπιδήμιον εἶναι,
σὸν πατέρ': ἀλλά νυ τόν γε θεοὶ βλάπτουσι κελεύθου. 195
οὐ γάρ πω τέθνηκεν ἐπὶ χθονὶ δῖος Ὀδυσσεύς,
ἀλλ' ἔτι που ζωὸς κατερύκεται εὐρέι πόντῳ
νήσῳ ἐν ἀμφιρύτῃ, χαλεποὶ δέ μιν ἄνδρες ἔχουσιν
ἄγριοι, οἵ που κεῖνον ἐρυκανόωσ' ἀέκοντα.
αὐτὰρ νῦν τοι ἐγὼ μαντεύσομαι, ὡς ἐνὶ θυμῷ 200
ἀθάνατοι βάλλουσι καὶ ὡς τελέεσθαι ὀΐω,
οὔτε τι μάντις ἐὼν οὔτ' οἰωνῶν σάφα εἰδώς.
οὔ τοι ἔτι δηρόν γε φίλης ἀπὸ πατρίδος αἴης
ἔσσεται, οὐδ' εἴ πέρ τε σιδήρεα δέσματ' ἔχῃσιν:
φράσσεται ὥς κε νέηται, ἐπεὶ πολυμήχανός ἐστιν. 205
ἀλλ' ἄγε μοι τόδε εἰπὲ καὶ ἀτρεκέως κατάλεξον,
εἰ δὴ ἐξ αὐτοῖο τόσος πάϊς εἰς Ὀδυσῆος.
αἰνῶς μὲν κεφαλήν τε καὶ ὄμματα καλὰ ἔοικας
κείνῳ, ἐπεὶ θαμὰ τοῖον ἐμισγόμεθ' ἀλλήλοισιν,
πρίν γε τὸν ἐς Τροίην ἀναβήμεναι, ἔνθα περ ἄλλοι 210
Ἀργείων οἱ ἄριστοι ἔβαν κοίλῃς ἐνὶ νηυσίν:
ἐκ τοῦ δ' οὔτ' Ὀδυσῆα ἐγὼν ἴδον οὔτ' ἔμ' ἐκεῖνος."
τὴν δ' αὖ Τηλέμαχος πεπνυμένος ἀντίον ηὔδα:
"τοιγὰρ ἐγώ τοι, ξεῖνε, μάλ' ἀτρεκέως ἀγορεύσω.
μήτηρ μέν τέ μέ φησι τοῦ ἔμμεναι, αὐτὰρ ἐγώ γε 215
οὐκ οἶδ': οὐ γάρ πώ τις ἑὸν γόνον αὐτὸς ἀνέγνω.

-me de ser filho do experimentado Anquialo. Mentes 180
é meu nome. Soberano sou dos táfios, destros remeiros.
Aqui aportei com meus companheiros, singrando a face
vinhácea do mar rumo a homens de estranhas línguas.
Trago ferro luzidio para trocá-lo por bronze em Temesa.
Minha nau está ancorada longe da cidade, nas pastagens 185
ao sopé do arborizado Neio. Reitro chama-se o porto.
Com muito orgulho te digo que nossa amizade vem de
longe, do tempo de nossos antepassados. Pergunta
ao venerável Laertes[6], um herói. Ao que sei, ele já não
costuma vir à cidade. Prefere tratar seus males longe, 190
no campo, em companhia de uma velha escrava,
responsável por alimentação e bebida. Ela deverá
socorrê-lo quando a canseira o puser de joelhos e for
obrigado a se arrastar no solo coberto de vides.
Decidi vir porque fui informado de que teu pai tinha 195
regressado. Vejo, porém, que os deuses devem ter
colocado obstáculos em seu caminho. Morto ele não
está, o divino Odisseu não partiu deste mundo. Passa
os dias em algum lugar do mar imenso, retido em ilha
distante. Homens cruéis, selvagens, o prenderam, 200
decerto. Não permitem que realize o que deseja. Ouve o
que te digo. O que os deuses me segredam no coração
há de cumprir-se, ainda que eu não seja vidente de
aves nem conheça o sentido de seus voos. Odisseu
não tardará. Estará em breve em sua terra amada. 205
Mesmo que gema algemado em cadeias de ferro,
ele retornará. Saberá como libertar-se. Renomados são
seus muitos ardis. Agora, fala-me com sinceridade.
És de fato filho legítimo de Odisseu? Observando tua
cabeça e o brilho dos teus olhos, a semelhança com ele 210
é espantosa. Encontramo-nos com frequência antes
de ele partir para Troia, destino de outros argivos[7], os
melhores. Desde então não o vi mais, nem ele a mim."
Cauteloso, respondeu-lhe Telêmaco: "Pois bem,
terás resposta sincera, amigo. Pelo que sei da minha 215
mãe, sou filho dele. Isso basta? Nunca saberemos

ὡς δὴ ἐγώ γ' ὄφελον μάκαρός νύ τευ ἔμμεναι υἱὸς
ἀνέρος, ὃν κτεάτεσσιν ἑοῖς ἔπι γῆρας ἔτετμε.
νῦν δ' ὃς ἀποτμότατος γένετο θνητῶν ἀνθρώπων,
τοῦ μ' ἔκ φασι γενέσθαι, ἐπεὶ σύ με τοῦτ' ἐρεείνεις." 220
τὸν δ' αὖτε προσέειπε θεά, γλαυκῶπις Ἀθήνη·
"οὔ μέν τοι γενεήν γε θεοὶ νώνυμνον ὀπίσσω
θῆκαν, ἐπεὶ σέ γε τοῖον ἐγείνατο Πηνελόπεια.
ἀλλ' ἄγε μοι τόδε εἰπὲ καὶ ἀτρεκέως κατάλεξον·
τίς δαίς, τίς δὲ ὅμιλος ὅδ' ἔπλετο; τίπτε δέ σε χρεώ; 225
εἰλαπίνη ἠὲ γάμος; ἐπεὶ οὐκ ἔρανος τάδε γ' ἐστίν·
ὥς τέ μοι ὑβρίζοντες ὑπερφιάλως δοκέουσι
δαίνυσθαι κατὰ δῶμα. νεμεσσήσαιτό κεν ἀνὴρ
αἴσχεα πόλλ' ὁρόων, ὅς τις πινυτός γε μετέλθοι."
τὴν δ' αὖ Τηλέμαχος πεπνυμένος ἀντίον ηὔδα· 230
"ξεῖν', ἐπεὶ ἂρ δὴ ταῦτά μ' ἀνείρεαι ἠδὲ μεταλλᾷς,
μέλλεν μέν ποτε οἶκος ὅδ' ἀφνειὸς καὶ ἀμύμων
ἔμμεναι, ὄφρ' ἔτι κεῖνος ἀνὴρ ἐπιδήμιος ἦεν·
νῦν δ' ἑτέρως ἐβόλοντο θεοὶ κακὰ μητιόωντες,
οἳ κεῖνον μὲν ἄϊστον ἐποίησαν περὶ πάντων 235
ἀνθρώπων, ἐπεὶ οὔ κε θανόντι περ ὧδ' ἀκαχοίμην,
εἰ μετὰ οἷς ἑτάροισι δάμη Τρώων ἐνὶ δήμῳ,
ἠὲ φίλων ἐν χερσίν, ἐπεὶ πόλεμον τολύπευσεν.
τῷ κέν οἱ τύμβον μὲν ἐποίησαν Παναχαιοί,
ἠδέ κε καὶ ᾧ παιδὶ μέγα κλέος ἤρατ' ὀπίσσω. 240
νῦν δέ μιν ἀκλειῶς ἅρπυιαι ἀνηρείψαντο·
οἴχετ' ἄϊστος ἄπυστος, ἐμοὶ δ' ὀδύνας τε γόους τε
κάλλιπεν. οὐδέ τι κεῖνον ὀδυρόμενος στεναχίζω
οἶον, ἐπεὶ νύ μοι ἄλλα θεοὶ κακὰ κήδε' ἔτευξαν.
ὅσσοι γὰρ νήσοισιν ἐπικρατέουσιν ἄριστοι, 245
Δουλιχίῳ τε Σάμῃ τε καὶ ὑλήεντι Ζακύνθῳ,
ἠδ' ὅσσοι κραναὴν Ἰθάκην κάτα κοιρανέουσιν,
τόσσοι μητέρ' ἐμὴν μνῶνται, τρύχουσι δὲ οἶκον.
ἡ δ' οὔτ' ἀρνεῖται στυγερὸν γάμον οὔτε τελευτὴν
ποιῆσαι δύναται· τοὶ δὲ φθινύθουσιν ἔδοντες 250
οἶκον ἐμόν· τάχα δή με διαρραίσουσι καὶ αὐτόν."

quem de fato nos gerou. Gostaria de ser herdeiro
de um cidadão bem-sucedido. Eu administraria seus
bens até à velhice. Em vez disso, nasci do mais
infeliz dos mortais, como é voz corrente. Respondi tua 220
pergunta?" Observou-lhe a deusa, Atena Olhos-Vivos:
"Os deuses não determinaram deixar sem-nome
esta casa, já que Penélope deu à luz um homem de tua
fibra. Adiante! Continua a dizer-me o que sentes.
Este festim... Este conglomerado... O que se passa? 225
Bacanal? Casório? Um inocente encontro de amigos
é que não é. Essa gente não conhece limites. Berram.
A festança corre solta. Se entrasse um homem
ajuizado e visse esta vergonheira toda, não ficaria
horrorizado?" Modelar foi a resposta de Telêmaco: 230
"Meu amigo, é uma boa pergunta. Queres saber? Esta
casa teria tudo para ser próspera e decente, se aquele
homem ainda estivesse conosco. Mas os deuses,
mal-intencionados, têm outros planos. Sumiram
com ele. Pergunta a quem quiseres. Ninguém sabe 235
onde ele está. Se soubesse que jaz morto, eu não
viveria nesta aflição. Tombou entre companheiros?
Espirou nos braços de amigos, enovelada a guerra? A
comunidade aqueia, os panaqueus poderiam erguer-lhe
um monumento. Deixaria um nome honrado. As coisas 240
estando como estão, é de admitir que tenha acabado
nas garras do vento, das Harpias. Ninguém o viu,
ninguém sabe dele. Deixou-me um legado de dores.
Chorá-lo e gemer não é tudo. Os deuses amontoam
outros cuidados sobre mim. Nobres das ilhas Delíquio, 245
Sameres e Zacinto, de densas florestas e proprietários
da pedregosa Ítaca, todos são candidatos à mão de
minha mãe, devoram minha casa. Ela, entretanto, não
repele o casamento imposto, nem se decide por ele.
Enquanto isso, gente abjeta me aniquila. Devoram meus 250
bens. Em breve, eu próprio serei dilacerado por eles."

τὸν δ' ἐπαλαστήσασα προσηύδα Παλλὰς Ἀθήνη·
"ὢ πόποι, ἦ δὴ πολλὸν ἀποιχομένου Ὀδυσῆος
δεύῃ, ὅ κε μνηστῆρσιν ἀναιδέσι χεῖρας ἐφείη.
εἰ γὰρ νῦν ἐλθὼν δόμου ἐν πρώτῃσι θύρῃσι   255
σταίη, ἔχων πήληκα καὶ ἀσπίδα καὶ δύο δοῦρε,
τοῖος ἐὼν οἷόν μιν ἐγὼ τὰ πρῶτ' ἐνόησα
οἴκῳ ἐν ἡμετέρῳ πίνοντά τε τερπόμενόν τε,
ἐξ Ἐφύρης ἀνιόντα παρ' Ἴλου Μερμερίδαο--
ᾤχετο γὰρ καὶ κεῖσε θοῆς ἐπὶ νηὸς Ὀδυσσεὺς   260
φάρμακον ἀνδροφόνον διζήμενος, ὄφρα οἱ εἴη
ἰοὺς χρίεσθαι χαλκήρεας· ἀλλ' ὁ μὲν οὔ οἱ
δῶκεν, ἐπεί ῥα θεοὺς νεμεσίζετο αἰὲν ἐόντας,
ἀλλὰ πατήρ οἱ δῶκεν ἐμός· φιλέεσκε γὰρ αἰνῶς--
τοῖος ἐὼν μνηστῆρσιν ὁμιλήσειεν Ὀδυσσεύς·   265
πάντες κ' ὠκύμοροί τε γενοίατο πικρόγαμοί τε.
ἀλλ' ἦ τοι μὲν ταῦτα θεῶν ἐν γούνασι κεῖται,
ἤ κεν νοστήσας ἀποτίσεται, ἦε καὶ οὐκί,
οἷσιν ἐνὶ μεγάροισι· σὲ δὲ φράζεσθαι ἄνωγα,
ὅππως κε μνηστῆρας ἀπώσεαι ἐκ μεγάροιο.   270
εἰ δ' ἄγε νῦν ξυνίει καὶ ἐμῶν ἐμπάζεο μύθων·
αὔριον εἰς ἀγορὴν καλέσας ἥρωας Ἀχαιοὺς
μῦθον πέφραδε πᾶσι, θεοὶ δ' ἐπὶ μάρτυροι ἔστων.
μνηστῆρας μὲν ἐπὶ σφέτερα σκίδνασθαι ἄνωχθι,
μητέρα δ', εἴ οἱ θυμὸς ἐφορμᾶται γαμέεσθαι,   275
ἂψ ἴτω ἐς μέγαρον πατρὸς μέγα δυναμένοιο·
οἱ δὲ γάμον τεύξουσι καὶ ἀρτυνέουσιν ἔεδνα
πολλὰ μάλ', ὅσσα ἔοικε φίλης ἐπὶ παιδὸς ἕπεσθαι.
σοὶ δ' αὐτῷ πυκινῶς ὑποθήσομαι, αἴ κε πίθηαι·
νῆ' ἄρσας ἐρέτῃσιν ἐείκοσιν, ἥ τις ἀρίστη,   280
ἔρχεο πευσόμενος πατρὸς δὴν οἰχομένοιο,
ἤν τίς τοι εἴπῃσι βροτῶν, ἢ ὄσσαν ἀκούσῃς
ἐκ Διός, ἥ τε μάλιστα φέρει κλέος ἀνθρώποισι.
πρῶτα μὲν ἐς Πύλον ἐλθὲ καὶ εἴρεο Νέστορα δῖον,
κεῖθεν δὲ Σπάρτηνδε παρὰ ξανθὸν Μενέλαον·   285
ὃς γὰρ δεύτατος ἦλθεν Ἀχαιῶν χαλκοχιτώνων.
εἰ μέν κεν πατρὸς βίοτον καὶ νόστον ἀκούσῃς,
ἦ τ' ἂν τρυχόμενός περ ἔτι τλαίης ἐνιαυτόν·

Atenada com os desmandos, palavreou Palas Atena:
"Santos deuses! Não podes continuar assim, sem a
presença de Odisseu. Que ele bote a mão nesses sem-
-vergonha! Gostaria de ver a cara deles se ele entrasse   255
agora pela porta da frente, de capacete, escudo e duas
lanças, tal como eu o conheci outrora em nossa casa.
Lembro que gostava de beber. Era homem alegre. Ele
vinha de Éfira, da casa de Ilo, filho do mau Mermero.
Tinha navegado para lá em nau veloz à procura de uma   260
substância venenosa, mortífera, para untar o bronze
das frechas. Mas Ilo não lhe forneceu o produto. Temia
irritar os deuses que não morrem. Supriu-o, entretanto,
meu pai. Grande era o afeto que lhe tinha. De estarrecer!
Com um homem de tal estofo deveriam defrontar-se os   265
pretendentes. Não viveriam muito. Provariam núpcias
amargas. O retorno dele ao seu palácio para punir
desmandos é medida que nos joelhos dos deuses aguarda
decisão. Mas a ti compete tomar providências para
limpar o palácio desta imundície. Agora, rogo, presta   270
atenção ao que te digo. Pesa bem minhas palavras.
Convoca amanhã os aqueus a uma assembleia para
que deliberem, responsáveis aos deuses. Leva-os a
decidir que o ajuntamento de pretendentes se dissolva.
Que cada um retorne à sua propriedade, que tua mãe   275
– se o coração a inclina ao casamento – retorne à casa
ilustre de seu abastado pai. Poderão, então, tratar de
núpcias. O pai dela receberá dádivas e cuidará de
outras providências a que usualmente faz jus uma filha
querida. Minhas recomendações, se é que te interessam,   280
são estas. Equipa uma nau de vinte remeiros, dos
melhores. Colhe informações sobre teu pai, por anos
ausente. Falando com pessoas, poderás ouvir a voz
de Zeus, que divulga longe feitos gloriosos.
Deverás dirigir-te primeiro a Pilos e conversar com   285
Nestor. De lá os caminhos te levarão a Esparta, ao
palácio de Menelau, pois dos aqueus de brônzea
couraça foi o primeiro a regressar. Se souberes que

εἰ δέ κε τεθνηῶτος ἀκούσῃς μηδ' ἔτ' ἐόντος,
νοστήσας δὴ ἔπειτα φίλην ἐς πατρίδα γαῖαν   290
σῆμά τέ οἱ χεῦαι καὶ ἐπὶ κτέρεα κτερεΐξαι
πολλὰ μάλ', ὅσσα ἔοικε, καὶ ἀνέρι μητέρα δοῦναι.
αὐτὰρ ἐπὴν δὴ ταῦτα τελευτήσῃς τε καὶ ἔρξῃς,
φράζεσθαι δὴ ἔπειτα κατὰ φρένα καὶ κατὰ θυμὸν
ὅππως κε μνηστῆρας ἐνὶ μεγάροισι τεοῖσι   295
κτείνῃς ἠὲ δόλῳ ἢ ἀμφαδόν: οὐδέ τί σε χρὴ
νηπιάας ὀχέειν, ἐπεὶ οὐκέτι τηλίκος ἐσσι.
ἢ οὐκ ἀίεις οἷον κλέος ἔλλαβε δῖος Ὀρέστης
πάντας ἐπ' ἀνθρώπους, ἐπεὶ ἔκτανε πατροφονῆα,
Αἴγισθον δολόμητιν, ὅ οἱ πατέρα κλυτὸν ἔκτα;   300
καὶ σύ, φίλος, μάλα γάρ σ' ὁρόω καλόν τε μέγαν τε,
ἄλκιμος ἔσσ', ἵνα τίς σε καὶ ὀψιγόνων ἐὺ εἴπῃ.
αὐτὰρ ἐγὼν ἐπὶ νῆα θοὴν κατελεύσομαι ἤδη
ἠδ' ἑτάρους, οἵ πού με μάλ' ἀσχαλόωσι μένοντες:
σοὶ δ' αὐτῷ μελέτω, καὶ ἐμῶν ἐμπάζεο μύθων."   305
τὴν δ' αὖ Τηλέμαχος πεπνυμένος ἀντίον ηὔδα:
"ξεῖν', ἦ τοι μὲν ταῦτα φίλα φρονέων ἀγορεύεις,
ὥς τε πατὴρ ᾧ παιδί, καὶ οὔ ποτε λήσομαι αὐτῶν.
ἀλλ' ἄγε νῦν ἐπίμεινον, ἐπειγόμενός περ ὁδοῖο,
ὄφρα λοεσσάμενός τε τεταρπόμενός τε φίλον κῆρ,   310
δῶρον ἔχων ἐπὶ νῆα κίῃς, χαίρων ἐνὶ θυμῷ,
τιμῆεν, μάλα καλόν, ὅ τοι κειμήλιον ἔσται
ἐξ ἐμεῦ, οἷα φίλοι ξεῖνοι ξείνοισι διδοῦσι."
τὸν δ' ἠμείβετ' ἔπειτα θεά, γλαυκῶπις Ἀθήνη:
"μή μ' ἔτι νῦν κατέρυκε, λιλαιόμενόν περ ὁδοῖο. 315
δῶρον δ' ὅττι κέ μοι δοῦναι φίλον ἦτορ ἀνώγῃ,
αὖτις ἀνερχομένῳ δόμεναι οἶκόνδε φέρεσθαι,
καὶ μάλα καλὸν ἑλών: σοὶ δ' ἄξιον ἔσται ἀμοιβῆς."
ἡ μὲν ἄρ' ὣς εἰποῦσ' ἀπέβη γλαυκῶπις Ἀθήνη,
ὄρνις δ' ὣς ἀνόπαια διέπτατο: τῷ δ' ἐνὶ θυμῷ   320
θῆκε μένος καὶ θάρσος, ὑπέμνησέν τέ ἑ πατρὸς
μᾶλλον ἔτ' ἢ τὸ πάροιθεν. ὁ δὲ φρεσὶν ᾗσι νοήσας
θάμβησεν κατὰ θυμόν: ὀίσατο γὰρ θεὸν εἶναι.
αὐτίκα δὲ μνηστῆρας ἐπῴχετο ἰσόθεος φώς.

teu pai vive e que regressa, nada de precipitações.
Aguarda outro ano. Se te informarem que ele está 290
morto, retorna à tua terra amada, ergue-lhe um
monumento, prepara-lhe homenagens fúnebres,
abundantes, como as esperadas de uma mãe a seu
esposo. Cumpridos estes ritos, deverás pensar com
determinação na melhor maneira de acabar com os 295
pretendentes. Truques? Morte espetacular? Não
te comportes como criança. Já és adulto. Não
ignoras, por certo, a glória que granjeou entre todos
os povos o divino Orestes quando matou Egisto, o
assassino de seu pai, o exterminador de um homem 300
ilustre. Vejo-te belo, amigo, grande, robusto. Tens
tudo para deixar um nome honrado. Devo retornar
agora à minha nau. Meus companheiros devem
estar impacientes com minha demora. Não relaxes
teus negócios. Pensa bem no que eu te disse." Esta 305
foi a ajuizada resposta de Telêmaco: "Caríssimo,
noto afeto em tuas palavras amigas. Falas como
se fosses meu pai. Jamais poderei esquecê-lo. Por
que tanta pressa? Fica mais um pouco. Refresca-te.
Distrai-te. Limpa a mente de cuidados. Quero que 310
leves um presente à tua altura. Quero que partas
alegre. Receberás uma lembrança que selará nossa
amizade. Assim procedem pessoas que se querem."
Respondeu-lhe Atena com ajuizados olhos de coruja:
"Não me detenhas por mais tempo. Urge que eu parta. 315
Mas o presente que teu coração amigo determina
dar-me, este eu receberei e levarei para casa. Por
rico que seja, terás retorno correspondente." Com
estas palavras, retirou-se Atena Olhos-de-Coruja,
veloz como a ave ao alçar voo. Infundiu-lhe coragem 320
e decisão. Telêmaco evocou o pai mais que antes. Sua
imagem desenhou-se-lhe viva no espírito. Ficou
pasmo, certo de que recebera a visita de um deus.

τοῖσι δ' ἀοιδὸς ἄειδε περικλυτός, οἱ δὲ σιωπῇ   325
ἥατ' ἀκούοντες: ὁ δ' Ἀχαιῶν νόστον ἄειδε
λυγρόν, ὃν ἐκ Τροίης ἐπετείλατο Παλλὰς Ἀθήνη.
τοῦ δ' ὑπερωιόθεν φρεσὶ σύνθετο θέσπιν ἀοιδὴν
κούρη Ἰκαρίοιο, περίφρων Πηνελόπεια:
κλίμακα δ' ὑψηλὴν κατεβήσετο οἷο δόμοιο,   330
οὐκ οἴη, ἅμα τῇ γε καὶ ἀμφίπολοι δύ' ἕποντο.
ἡ δ' ὅτε δὴ μνηστῆρας ἀφίκετο δῖα γυναικῶν,
στῆ ῥα παρὰ σταθμὸν τέγεος πύκα ποιητοῖο,
ἄντα παρειάων σχομένη λιπαρὰ κρήδεμνα:
ἀμφίπολος δ' ἄρα οἱ κεδνὴ ἑκάτερθε παρέστη.   335
δακρύσασα δ' ἔπειτα προσηύδα θεῖον ἀοιδόν:
"Φήμιε, πολλὰ γὰρ ἄλλα βροτῶν θελκτήρια οἶδας,
ἔργ' ἀνδρῶν τε θεῶν τε, τά τε κλείουσιν ἀοιδοί:
τῶν ἕν γέ σφιν ἄειδε παρήμενος, οἱ δὲ σιωπῇ
οἶνον πινόντων: ταύτης δ' ἀποπαύε' ἀοιδῆς   340
λυγρῆς, ἥ τέ μοι αἰεὶ ἐνὶ στήθεσσι φίλον κῆρ
τείρει, ἐπεί με μάλιστα καθίκετο πένθος ἄλαστον.
τοίην γὰρ κεφαλὴν ποθέω μεμνημένη αἰεί,
ἀνδρός, τοῦ κλέος εὐρὺ καθ' Ἑλλάδα καὶ μέσον Ἄργος."
τὴν δ' αὖ Τηλέμαχος πεπνυμένος ἀντίον ηὔδα: 345
"μῆτερ ἐμή, τί τ' ἄρα φθονέεις ἐρίηρον ἀοιδὸν
τέρπειν ὅππη οἱ νόος ὄρνυται; οὔ νύ τ' ἀοιδοὶ
αἴτιοι, ἀλλά ποθι Ζεὺς αἴτιος, ὅς τε δίδωσιν
ἀνδράσιν ἀλφηστῇσιν, ὅπως ἐθέλῃσιν, ἑκάστῳ.
τούτῳ δ' οὐ νέμεσις Δαναῶν κακὸν οἶτον ἀείδειν: 350
τὴν γὰρ ἀοιδὴν μᾶλλον ἐπικλείουσ' ἄνθρωποι,
ἥ τις ἀκουόντεσσι νεωτάτη ἀμφιπέληται.
σοὶ δ' ἐπιτολμάτω κραδίη καὶ θυμὸς ἀκούειν:
οὐ γὰρ Ὀδυσσεὺς οἶος ἀπώλεσε νόστιμον ἦμαρ
ἐν Τροίῃ, πολλοὶ δὲ καὶ ἄλλοι φῶτες ὄλοντο.   355
ἀλλ' εἰς οἶκον ἰοῦσα τὰ σ' αὐτῆς ἔργα κόμιζε,
ἱστόν τ' ἠλακάτην τε, καὶ ἀμφιπόλοισι κέλευε
ἔργον ἐποίχεσθαι: μῦθος δ' ἄνδρεσσι μελήσει
πᾶσι, μάλιστα δ' ἐμοί: τοῦ γὰρ κράτος ἔστ' ἐνὶ οἴκῳ."
ἡ μὲν θαμβήσασα πάλιν οἰκόνδε βεβήκει: 360

Procurou os pretendentes, iluminado o rosto com
brilho divino. Cantava-lhes o inigualável aedo. 325
Eles escutavam em silêncio. Entoava o lutuoso
regresso que Palas Atena concedera aos aqueus,
finda a campanha de Troia. No andar superior, a
filha de Icário, a ponderada Penélope, seguia o
canto inspirado. Desceu pela alta escadaria. Não 330
vinha só. Acompanhavam-na servas prestativas.
A Senhora apareceu divina aos pretendentes.
Deteve-se na pilastra, trabalhada por mão de
artista. Escondia as faces atrás de um rico véu,
sempre ladeada por escravas fiéis. Dirigiu-se em 335
lágrimas ao divino cantor: "Fêmio, deves saber
muitos outros cantos envolventes sobre feitos
de homens e de deuses, repertório de aedos.
Elege outro episódio para animar teus ouvintes,
afeitos à mistura de arte e vinho. Interrompe, rogo- 340
-te, este canto triste. Ele me oprime o coração agora
e sempre. O que evocas me faz padecer. Esse
homem não me sai da lembrança. O renome dele
se alarga pela Hélade, aprofunda raízes no centro
de Argos." Interveio Telêmaco, sisudo: "Por que 345
impedes que o cantor nos alegre? Ele conhece
sua arte. Queres cortar-lhe as asas da imaginação?
Culpados não são os cantores, culpado é Zeus,
é ele que determina a seu bel-prazer o destino de
homens empreendedores. Não se repreenda, pois, 350
o cantor, se ele narra a má sorte dos dânaos. Mais
caloroso aplauso arranca o canto que versa os mais
recentes assuntos. Disciplina o coração. Ilustra teu
espírito. Dá-lhe ouvidos. Odisseu não foi o único a
perder o dia do regresso. Muitos heróis pereceram. 355
Recolhe-te, pois, a teus aposentos e cuida dos teus
afazeres: o tear e a roca. Queres que tuas criadas
te acompanhem? Retira-te com elas. Discurso é
tarefa de homens, sobretudo minha. Quem manda
nesta casa sou eu." Espantada, Penélope foi a 360

παιδὸς γὰρ μῦθον πεπνυμένον ἔνθετο θυμῷ.
ἐς δ' ὑπερῷ' ἀναβᾶσα σὺν ἀμφιπόλοισι γυναιξὶ
κλαῖεν ἔπειτ' Ὀδυσῆα φίλον πόσιν, ὄφρα οἱ ὕπνον
ἡδὺν ἐπὶ βλεφάροισι βάλε γλαυκῶπις Ἀθήνη.
μνηστῆρες δ' ὁμάδησαν ἀνὰ μέγαρα σκιόεντα, 365
πάντες δ' ἠρήσαντο παραὶ λεχέεσσι κλιθῆναι.
τοῖσι δὲ Τηλέμαχος πεπνυμένος ἤρχετο μύθων·
"μητρὸς ἐμῆς μνηστῆρες ὑπέρβιον ὕβριν ἔχοντες,
νῦν μὲν δαινύμενοι τερπώμεθα, μηδὲ βοητὺς
ἔστω, ἐπεὶ τόδε καλὸν ἀκουέμεν ἐστὶν ἀοιδοῦ 370
τοιοῦδ' οἷος ὅδ' ἐστί, θεοῖς ἐναλίγκιος αὐδήν.
ἠῶθεν δ' ἀγορήνδε καθεζώμεσθα κιόντες
πάντες, ἵν' ὕμιν μῦθον ἀπηλεγέως ἀποείπω,
ἐξιέναι μεγάρων· ἄλλας δ' ἀλεγύνετε δαῖτας,
ὑμὰ κτήματ' ἔδοντες, ἀμειβόμενοι κατὰ οἴκους. 375
εἰ δ' ὕμιν δοκέει τόδε λωίτερον καὶ ἄμεινον
ἔμμεναι, ἀνδρὸς ἑνὸς βίοτον νήποινον ὀλέσθαι,
κείρετ'· ἐγὼ δὲ θεοὺς ἐπιβώσομαι αἰὲν ἐόντας,
αἴ κέ ποθι Ζεὺς δῷσι παλίντιτα ἔργα γενέσθαι·
νήποινοί κεν ἔπειτα δόμων ἔντοσθεν ὄλοισθε." 380
ὣς ἔφαθ', οἱ δ' ἄρα πάντες ὀδὰξ ἐν χείλεσι φύντες
Τηλέμαχον θαύμαζον, ὃ θαρσαλέως ἀγόρευεν.
τὸν δ' αὖτ' Ἀντίνοος προσέφη, Εὐπείθεος υἱός·
"Τηλέμαχ', ἦ μάλα δή σε διδάσκουσιν θεοὶ αὐτοὶ
ὑψαγόρην τ' ἔμεναι καὶ θαρσαλέως ἀγορεύειν· 385
μὴ σέ γ' ἐν ἀμφιάλῳ Ἰθάκῃ βασιλῆα Κρονίων
ποιήσειεν, ὅ τοι γενεῇ πατρώιόν ἐστιν."
τὸν δ' αὖ Τηλέμαχος πεπνυμένος ἀντίον ηὔδα·
"Ἀντίνο', ἦ καί μοι νεμεσήσεαι ὅττι κεν εἴπω;
καὶ κεν τοῦτ' ἐθέλοιμι Διός γε διδόντος ἀρέσθαι. 390
ἦ φῂς τοῦτο κάκιστον ἐν ἀνθρώποισι τετύχθαι;
οὐ μὲν γάρ τι κακὸν βασιλευέμεν· αἶψά τέ οἱ δῶ
ἀφνειὸν πέλεται καὶ τιμηέστερος αὐτός.
ἀλλ' ἦ τοι βασιλῆες Ἀχαιῶν εἰσὶ καὶ ἄλλοι
πολλοὶ ἐν ἀμφιάλῳ Ἰθάκῃ, νέοι ἠδὲ παλαιοί, 395
τῶν κέν τις τόδ' ἔχῃσιν, ἐπεὶ θάνε δῖος Ὀδυσσεύς·
αὐτὰρ ἐγὼν οἴκοιο ἄναξ ἔσομ' ἡμετέροιο

seu quarto. Guardou no peito a palavra severa do
filho. Subindo com as mulheres, derramou lágrimas
por Odisseu, seu amado esposo, até que Atena, de
olhos penetrantes, baixasse suas pálpebras pesadas
em sono suave. Reacendeu-se a algazarra dos   365
abusados na sala sombria. Cada um deles desejava
tê-la no seu próprio leito. A palavra do iluminado
Telêmaco soou ao ouvido de todos: "Pretendentes de
minha mãe, homens de notória arrogância, desejo a
todos bom apetite. Cessem os gritos! É com prazer   370
que se presta atenção a um cantor como este, de
voz celeste. Amanhã estaremos reunidos na ágora.
Todos! Eu vos falarei sem reservas. Pedirei que vos
retireis desta casa. Procurai outras mesas. Consumi
vossos próprios bens, ora na casa de um, ora na casa   375
de outro. Parece-vos mais vantajoso consumir, sem
indenizar, bens de um único homem? Por que não
me tirais o couro? Apelarei aos deuses eternos.
Espero que Zeus, enfim, vos dê a paga merecida.
Garanto que permanecer não vos será lucrativo."   380
Foram estas as palavras. Estáticos, mordiam
os lábios. Telêmaco os surpreendera. Com quanta
coragem falara! Tomou a palavra Antínoo, filho de
Eupites: "Telêmaco, foram os deuses teus mestres
para falares com tanta eloquência? Que coragem!   385
Mas não penses que te constituirão rei de Ítaca,
ainda que tragas nas veias o sangue de teu pai."
Medindo as palavras, respondeu-lhe Telêmaco:
"Direi o que penso ainda que isso te irrite. Se for
vontade de Zeus que eu seja rei, não posso afirmar   390
que isso me desagrade. Fala franco, pensas que
reinar seja um mal que se deva temer? Mandar
é mau? À medida que o rei enriquece, cresce
a veneração. Ora, príncipes, jovens ou velhos,
não faltam nesta ilha. Já que Odisseu está morto,   395
não é impossível que um deles arrebate a coroa.
Declaro-me, porém, senhor de minha casa

καὶ δμώων, οὕς μοι ληίσσατο δῖος Ὀδυσσεύς."
τὸν δ' αὖτ' Εὐρύμαχος Πολύβου πάϊς ἀντίον ηὔδα·
"Τηλέμαχ', ἦ τοι ταῦτα θεῶν ἐν γούνασι κεῖται, 400
ὅς τις ἐν ἀμφιάλῳ Ἰθάκῃ βασιλεύσει Ἀχαιῶν·
κτήματα δ' αὐτὸς ἔχοις καὶ δώμασιν οἷσιν ἀνάσσοις.
μὴ γὰρ ὅ γ' ἔλθοι ἀνὴρ ὅς τίς σ' ἀέκοντα βίηφιν
κτήματ' ἀπορραίσει, Ἰθάκης ἔτι ναιετοώσης.
ἀλλ' ἐθέλω σε, φέριστε, περὶ ξείνοιο ἐρέσθαι, 405
ὁππόθεν οὗτος ἀνήρ, ποίης δ' ἐξ εὔχεται εἶναι
γαίης, ποῦ δέ νύ οἱ γενεὴ καὶ πατρὶς ἄρουρα.
ἠέ τιν' ἀγγελίην πατρὸς φέρει ἐρχομένοιο,
ἦ ἑὸν αὐτοῦ χρεῖος ἐελδόμενος τόδ' ἱκάνει;
οἷον ἀναΐξας ἄφαρ οἴχεται, οὐδ' ὑπέμεινε 410
γνώμεναι· οὐ μὲν γάρ τι κακῷ εἰς ὦπα ἐῴκει."
τὸν δ' αὖ Τηλέμαχος πεπνυμένος ἀντίον ηὔδα·
"Εὐρύμαχ', ἦ τοι νόστος ἀπώλετο πατρὸς ἐμοῖο·
οὔτ' οὖν ἀγγελίῃ ἔτι πείθομαι, εἴ ποθεν ἔλθοι,
οὔτε θεοπροπίης ἐμπάζομαι, ἥν τινα μήτηρ 415
ἐς μέγαρον καλέσασα θεοπρόπον ἐξερέηται.
ξεῖνος δ' οὗτος ἐμὸς πατρώϊος ἐκ Τάφου ἐστίν,
Μέντης δ' Ἀγχιάλοιο δαΐφρονος εὔχεται εἶναι
υἱός, ἀτὰρ Ταφίοισι φιληρέτμοισιν ἀνάσσει."
ὣς φάτο Τηλέμαχος, φρεσὶ δ' ἀθανάτην θεὸν ἔγνω. 420
οἱ δ' εἰς ὀρχηστύν τε καὶ ἱμερόεσσαν ἀοιδὴν
τρεψάμενοι τέρποντο, μένον δ' ἐπὶ ἕσπερον ἐλθεῖν.
τοῖσι δὲ τερπομένοισι μέλας ἐπὶ ἕσπερος ἦλθε·
δὴ τότε κακκείοντες ἔβαν οἶκόνδε ἕκαστος.

Τηλέμαχος δ', ὅθι οἱ θάλαμος περικαλλέος αὐλῆς 425
ὑψηλὸς δέδμητο περισκέπτῳ ἐνὶ χώρῳ,
ἔνθ' ἔβη εἰς εὐνὴν πολλὰ φρεσὶ μερμηρίζων.
τῷ δ' ἄρ' ἅμ' αἰθομένας δαΐδας φέρε κεδνὰ ἰδυῖα
Εὐρύκλει', Ὦπος θυγάτηρ Πεισηνορίδαο,
τήν ποτε Λαέρτης πρίατο κτεάτεσσιν ἑοῖσιν 430
πρωθήβην ἔτ' ἐοῦσαν, ἐεικοσάβοια δ' ἔδωκεν,
ἶσα δέ μιν κεδνῇ ἀλόχῳ τίεν ἐν μεγάροισιν,
εὐνῇ δ' οὔ ποτ' ἔμικτο, χόλον δ' ἀλέεινε γυναικός·

e de meus escravos, herança de Odisseu."
A resposta veio de Eurímaco, filho de Pólibo:
"Ora, Telêmaco, quem há de ser rei nesta ilha 400
depende de uma decisão do conselho dos deuses,
que ainda não foi tomada. O domínio sobre
tua casa te está assegurado. Não temas violência.
Enquanto houver homens em Ítaca, ninguém virá
arrancar de tua mão o que é teu. Pergunto-te, 405
porém, sobre o estrangeiro. Donde veio ele? Que
terra diz ele ser a sua? A que família pertence?
Onde ficam suas terras? Trouxe ele notícia de
teu pai ausente, ou veio tratar de negócios seus?
Levantou-se e partiu de repente. Não quis 410
conhecer-nos? Aspecto de vilão ele não tinha."
Respondeu-lhe Telêmaco, ponderado: "Eurímaco,
o regresso de meu pai está definitivamente fora de
questão. Perdi a confiança em notícias, venham
donde vierem. A vidência não me atrai. Os videntes, 415
se vêm, tratam com minha mãe. Quem nos visitou
foi um amigo de meu pai. Veio de Tafo. Chama-se
Mentes, é filho de um nobre, Anquíolo. Governa
marinheiros hábeis, os táfios." Assim falou o filho
de Odisseu. Que reconhecera a deusa era segredo 420
de sete chaves. Os insolentes resolveram girar na
alegria da dança ao embalo do canto. Bailaram até
anoitecer. O manto da noite os envolveu em festa.
Só então cada qual procurou repousar em casa.

Telêmaco dirigiu-se ao seu quarto. Era esplêndido. 425
Elevava-se no pátio com vista para todos os lados.
Recolheu-se agitado ao leito. Muitas eram as
preocupações. Precedia-o de tocha acesa a dedicada
Euricleia, sempre atenciosa, filha de Opo, filho de
Pisenor. Laertes a tinha adquirido com seus próprios 430
recursos, ainda adolescente, ao preço de vinte bois.
Cercou-a com atenções no palácio como o fazia com
a honrada esposa. Mas nunca frequentou o leito dela

ἥ οἱ ἅμ' αἰθομένας δαΐδας φέρε, καί ἑ μάλιστα
δμῳάων φιλέεσκε, καὶ ἔτρεφε τυτθὸν ἐόντα. 435
ὤϊξεν δὲ θύρας θαλάμου πύκα ποιητοῖο,
ἕζετο δ' ἐν λέκτρῳ, μαλακὸν δ' ἔκδυνε χιτῶνα·
καὶ τὸν μὲν γραίης πυκιμηδέος ἔμβαλε χερσίν.
ἡ μὲν τὸν πτύξασα καὶ ἀσκήσασα χιτῶνα,
πασσάλῳ ἀγκρεμάσασα παρὰ τρητοῖσι λέχεσσι 440
βῆ ῥ' ἴμεν ἐκ θαλάμοιο, θύρην δ' ἐπέρυσσε κορώνῃ
ἀργυρέῃ, ἐπὶ δὲ κληῖδ' ἐτάνυσσεν ἱμάντι.
ἔνθ' ὅ γε παννύχιος, κεκαλυμμένος οἰὸς ἀώτῳ,
βούλευε φρεσὶν ᾗσιν ὁδὸν τὴν πέφραδ' Ἀθήνη.

para evitar a ira de sua mulher. Justamente essa
iluminava os passos de Telêmaco. Ela o estimava mais   435
que as outras escravas. Cuidava dele desde pequeno.
Abriu-lhe a porta da câmara, muito bem construída.
Sentado no leito, ele despiu a túnica leve e a depositou
nas mãos da dedicada anciã. Esta dobrou com cuidado
a veste e a dependurou no cravo junto à cama cinzelada.   440
Saiu do quarto, puxando a porta pela argola de prata.
Com a mão na correia acionou o ferrolho. Telêmaco
passou a noite envolto num manto de lã. Não lhe
saía da cabeça a viagem que lhe recomendara Atena.

ΟΔΥΣΣΕΙΑΣ Β

ἦμος δ' ἠριγένεια φάνη ῥοδοδάκτυλος Ἠώς,
ὤρνυτ' ἄρ' ἐξ εὐνῆφιν Ὀδυσσῆος φίλος υἱὸς
εἵματα ἑσσάμενος, περὶ δὲ ξίφος ὀξὺ θέτ' ὤμῳ,
ποσσὶ δ' ὑπὸ λιπαροῖσιν ἐδήσατο καλὰ πέδιλα,
βῆ δ' ἴμεν ἐκ θαλάμοιο θεῷ ἐναλίγκιος ἄντην. 05
αἶψα δὲ κηρύκεσσι λιγυφθόγγοισι κέλευσε
κηρύσσειν ἀγορήνδε κάρη κομόωντας Ἀχαιούς.
οἱ μὲν ἐκήρυσσον, τοὶ δ' ἠγείροντο μάλ' ὦκα.
αὐτὰρ ἐπεί ῥ' ἤγερθεν ὁμηγερέες τ' ἐγένοντο,
βῆ ῥ' ἴμεν εἰς ἀγορήν, παλάμῃ δ' ἔχε χάλκεον ἔγχος, 10
οὐκ οἶος, ἅμα τῷ γε δύω κύνες ἀργοὶ ἕποντο.
θεσπεσίην δ' ἄρα τῷ γε χάριν κατέχευεν Ἀθήνη.
τὸν δ' ἄρα πάντες λαοὶ ἐπερχόμενον θηεῦντο·
ἕζετο δ' ἐν πατρὸς θώκῳ, εἶξαν δὲ γέροντες.
τοῖσι δ' ἔπειθ' ἥρως Αἰγύπτιος ἦρχ' ἀγορεύειν, 15
ὃς δὴ γήραϊ κυφὸς ἔην καὶ μυρία ᾔδη.
καὶ γὰρ τοῦ φίλος υἱὸς ἅμ' ἀντιθέῳ Ὀδυσῆι
Ἴλιον εἰς ἐύπωλον ἔβη κοίλῃς ἐνὶ νηυσίν,
Ἄντιφος αἰχμητής· τὸν δ' ἄγριος ἔκτανε Κύκλωψ
ἐν σπῆι γλαφυρῷ, πύματον δ' ὡπλίσσατο δόρπον. 20
τρεῖς δέ οἱ ἄλλοι ἔσαν, καὶ ὁ μὲν μνηστῆρσιν ὁμίλει,
Εὐρύνομος, δύο δ' αἰὲν ἔχον πατρώια ἔργα.
ἀλλ' οὐδ' ὣς τοῦ λήθετ' ὀδυρόμενος καὶ ἀχεύων.
τοῦ ὅ γε δάκρυ χέων ἀγορήσατο καὶ μετέειπε·
"κέκλυτε δὴ νῦν μευ, Ἰθακήσιοι, ὅττι κεν εἴπω· 25
οὔτε ποθ' ἡμετέρη ἀγορὴ γένετ' οὔτε θόωκος
ἐξ οὗ Ὀδυσσεὺς δῖος ἔβη κοίλῃς ἐνὶ νηυσί.
νῦν δὲ τίς ὧδ' ἤγειρε; τίνα χρειὼ τόσον ἵκει
ἠὲ νέων ἀνδρῶν ἢ οἳ προγενέστεροί εἰσιν;
ἦέ τιν' ἀγγελίην στρατοῦ ἔκλυεν ἐρχομένοιο, 30
ἥν χ' ἡμῖν σάφα εἴποι, ὅτε πρότερός γε πύθοιτο;
ἦέ τι δήμιον ἄλλο πιφαύσκεται ἠδ' ἀγορεύει;
ἐσθλός μοι δοκεῖ εἶναι, ὀνήμενος. εἴθε οἱ αὐτῷ
Ζεὺς ἀγαθὸν τελέσειεν, ὅ τι φρεσὶν ᾗσι μενοινᾷ."

Canto 2

Ao despertar a alvorecente Aurora Róseos-Dedos,
saltou da cama o robusto filho de Odisseu. Vestido,
ajustou a afiada espada nas costas e firmou as vistosas
sandálias na planta sensível dos pés. Esplendor
divino iluminava-lhe o corpo. Deixou o quarto. Por   05
determinação sua, a voz dos arautos chamou aos
brados os aqueus para a assembleia. Mal soou a
ordem, congregaram-se os homens de longos cabelos.
Comprimidos em reunião compacta, compareceu
Telêmaco, de lança em punho. Não foi só. Trouxe dois   10
cães velozes. Entrou revestido da graça auspiciosa
de Atena. Seu andar decidido atraiu a atenção de todos.
Ocupou o assento do pai. Os anciãos cederam-lhe
o lugar. Egípcio, herói já curvado pelos anos, abriu a
sessão. Sabia mil coisas. O filho, o lanceiro Antifo,   15
que ele queria muito, acompanhara o divino Odisseu
à Ílion dos belos corcéis. Antifo partira na frota das
naus bojudas. Foi abatido pelo ciclope na caverna
tétrica. O carnívoro o reservara como última iguaria
do sinistro banquete. Tinha outros três filhos: Eurínomo 20
se juntara aos pretendentes, os outros dois cuidavam
dos seus bens. O desaparecido, lembrado em soluços
e pranto, nunca lhe saiu da mente. Uma lágrima
lhe descia pela face quando se dirigiu à assembleia:
"Itacenses, atenção ao que tenho a dizer. Nunca houve   25
assembleia nem sessão desde a partida de Odisseu
e suas côncavas naus. Gostaríamos de saber quem nos
convocou, motivo. Foi um jovem ou um cidadão
avançado em anos? Alguém soube da aproximação
duma armada, uma informação recente que queira   30
transmitir-nos? Ou trata-se de um assunto interno que
exija deliberação? Suponho que a convocação venha
de homem responsável, preocupado com nosso bem.
Zeus conceda que chegue a bom termo o que o aflige."

ὣς φάτο, χαῖρε δὲ φήμῃ Ὀδυσσῆος φίλος υἱός, 35
οὐδ' ἄρ' ἔτι δὴν ἧστο, μενοίνησεν δ' ἀγορεύειν,
στῆ δὲ μέσῃ ἀγορῇ: σκῆπτρον δέ οἱ ἔμβαλε χειρὶ
κῆρυξ Πεισήνωρ πεπνυμένα μήδεα εἰδώς.
πρῶτον ἔπειτα γέροντα καθαπτόμενος προσέειπεν:
"ὦ γέρον, οὐχ ἑκὰς οὗτος ἀνήρ, τάχα δ' εἴσεαι αὐτός, 40
ὃς λαὸν ἤγειρα: μάλιστα δέ μ' ἄλγος ἱκάνει.
οὔτε τιν' ἀγγελίην στρατοῦ ἔκλυον ἐρχομένοιο,
ἥν χ' ὑμῖν σάφα εἴπω, ὅτε πρότερός γε πυθοίμην,
οὔτε τι δήμιον ἄλλο πιφαύσκομαι οὐδ' ἀγορεύω,
ἀλλ' ἐμὸν αὐτοῦ χρεῖος, ὅ μοι κακὰ ἔμπεσεν οἴκῳ 45
δοιά: τὸ μὲν πατέρ' ἐσθλὸν ἀπώλεσα, ὅς ποτ' ἐν ὑμῖν
τοίσδεσσιν βασίλευε, πατὴρ δ' ὣς ἤπιος ἦεν:
νῦν δ' αὖ καὶ πολὺ μεῖζον, ὃ δὴ τάχα οἶκον ἅπαντα
πάγχυ διαρραίσει, βίοτον δ' ἀπὸ πάμπαν ὀλέσσει.
μητέρι μοι μνηστῆρες ἐπέχραον οὐκ ἐθελούσῃ, 50
τῶν ἀνδρῶν φίλοι υἷες, οἳ ἐνθάδε γ' εἰσὶν ἄριστοι,
οἳ πατρὸς μὲν ἐς οἶκον ἀπερρίγασι νέεσθαι
Ἰκαρίου, ὥς κ' αὐτὸς ἐεδνώσαιτο θύγατρα,
δοίη δ' ᾧ κ' ἐθέλοι καί οἱ κεχαρισμένος ἔλθοι:
οἱ δ' εἰς ἡμέτερον πωλεύμενοι ἤματα πάντα, 55
βοῦς ἱερεύοντες καὶ ὄις καὶ πίονας αἶγας
εἰλαπινάζουσιν πίνουσί τε αἴθοπα οἶνον
μαψιδίως: τὰ δὲ πολλὰ κατάνεται. οὐ γὰρ ἔπ' ἀνήρ,
οἷος Ὀδυσσεὺς ἔσκεν, ἀρὴν ἀπὸ οἴκου ἀμῦναι.
ἡμεῖς δ' οὔ νύ τι τοῖοι ἀμυνέμεν: ἦ καὶ ἔπειτα 60
λευγαλέοι τ' ἐσόμεσθα καὶ οὐ δεδαηκότες ἀλκήν.
ἦ τ' ἂν ἀμυναίμην, εἴ μοι δύναμίς γε παρείη.
οὐ γὰρ ἔτ' ἀνσχετὰ ἔργα τετεύχαται, οὐδ' ἔτι καλῶς
οἶκος ἐμὸς διόλωλε. νεμεσσήθητε καὶ αὐτοί,
ἄλλους τ' αἰδέσθητε περικτίονας ἀνθρώπους, 65
οἳ περιναιετάουσι: θεῶν δ' ὑποδείσατε μῆνιν,
μή τι μεταστρέψωσιν ἀγασσάμενοι κακὰ ἔργα.
λίσσομαι ἠμὲν Ζηνὸς Ὀλυμπίου ἠδὲ Θέμιστος,
ἥ τ' ἀνδρῶν ἀγορὰς ἠμὲν λύει ἠδὲ καθίζει:
σχέσθε, φίλοι, καί μ' οἶον ἐάσατε πένθεϊ λυγρῷ 70
τείρεσθ', εἰ μή πού τι πατὴρ ἐμὸς ἐσθλὸς Ὀδυσσεὺς

Falou. Ao filho de Odisseu agradou o discurso. Sem
tardar, levantou-se e pediu a palavra; de pé, no centro
da assembleia. O arauto Pisenor, versado em sábios
conselhos, passou-lhe o cetro. Preso às palavras
do ancião que o precedera, Telêmaco se pôs a falar:
"Venerando, não está longe o homem, como verás
agora mesmo, que reuniu o povo. Sofrimento algum
se compara ao meu. Nada sei de um ataque militar,
rumores de que eu tivesse as primeiras informações.
Nenhum assunto público levou-me a convocar-vos.
Agi movido por interesses privados, dificuldades que
molestam duplamente minha casa. Meu nobre pai, o
antigo rei desta terra, que vos governou com afeto
paternal, está perdido. Cai sobre mim mal ainda maior
que arrasará em breve todos os meus bens, consumirá
todos os meus recursos. Pretendentes assediam minha
mãe. Não respeitam sua recusa. Filhos de cidadãos
destacados da nobreza local! O só indício de que ela
poderia retornar à casa paterna os faz tremer. Icário
poderia tratar do casamento da filha, dá-la de livre
vontade a alguém de sua preferência. Invadem, em
vez disso, diariamente nossa propriedade. Abatem
bois, ovelhas e cabras pingues. Banqueteiam-se,
deliciam-se desaforadamente com o brilho do meu
vinho. Consomem tudo. Falta faz um homem como
Odisseu para livrar-nos desta praga. Não somos
bastante fortes para removê-los. Seremos sempre
uns pobres coitados que não sabem usar a força. Eu
os repeliria se tivesse energia para tanto. Desaforos?
Não os suporto mais. São indecentes. Abalaram
minha casa. Conto com vosso repúdio. Que dirão
pessoas das cercanias, vizinhos nossos? Temei aos
deuses. Irados, poderão punir atos vis. Invoco Zeus
Olímpio e Têmis, que dissolve e preside assembleias.
Não quero inquietar-vos, amigos. Deixai-me só
com meus tormentos. Admitamos que Odisseu,
meu nobre pai, tenha tratado mal gente de

δυσμενέων κάκ' ἔρεξεν ἐυκνήμιδας Ἀχαιούς,
τῶν μ' ἀποτινύμενοι κακὰ ῥέζετε δυσμενέοντες,
τούτους ὀτρύνοντες. ἐμοὶ δέ κε κέρδιον εἴη
ὑμέας ἐσθέμεναι κειμήλιά τε πρόβασίν τε.   75
εἴ χ' ὑμεῖς γε φάγοιτε, τάχ' ἄν ποτε καὶ τίσις εἴη:
τόφρα γὰρ ἂν κατὰ ἄστυ ποτιπτυσσοίμεθα μύθῳ
χρήματ' ἀπαιτίζοντες, ἕως κ' ἀπὸ πάντα δοθείη:
νῦν δέ μοι ἀπρήκτους ὀδύνας ἐμβάλλετε θυμῷ."
ὣς φάτο χωόμενος, ποτὶ δὲ σκῆπτρον βάλε γαίῃ   80
δάκρυ' ἀναπρήσας: οἶκτος δ' ἕλε λαὸν ἅπαντα.
ἔνθ' ἄλλοι μὲν πάντες ἀκὴν ἔσαν, οὐδέ τις ἔτλη
Τηλέμαχον μύθοισιν ἀμείψασθαι χαλεποῖσιν:
Ἀντίνοος δέ μιν οἶος ἀμειβόμενος προσέειπε:
"Τηλέμαχ' ὑψαγόρη, μένος ἄσχετε, ποῖον ἔειπες   85
ἡμέας αἰσχύνων: ἐθέλοις δέ κε μῶμον ἀνάψαι.
σοὶ δ' οὔ τι μνηστῆρες Ἀχαιῶν αἴτιοί εἰσιν,
ἀλλὰ φίλη μήτηρ, ἥ τοι πέρι κέρδεα οἶδεν.
ἤδη γὰρ τρίτον ἐστὶν ἔτος, τάχα δ' εἶσι τέταρτον,
ἐξ οὗ ἀτέμβει θυμὸν ἐνὶ στήθεσσιν Ἀχαιῶν.   90
πάντας μέν ῥ' ἔλπει καὶ ὑπίσχεται ἀνδρὶ ἑκάστῳ
ἀγγελίας προϊεῖσα, νόος δέ οἱ ἄλλα μενοινᾷ.
ἡ δὲ δόλον τόνδ' ἄλλον ἐνὶ φρεσὶ μερμήριξε:
στησαμένη μέγαν ἱστὸν ἐνὶ μεγάροισιν ὕφαινε,
λεπτὸν καὶ περίμετρον: ἄφαρ δ' ἡμῖν μετέειπε: 95
"'κοῦροι ἐμοὶ μνηστῆρες, ἐπεὶ θάνε δῖος Ὀδυσσεύς,
μίμνετ' ἐπειγόμενοι τὸν ἐμὸν γάμον, εἰς ὅ κε φᾶρος
ἐκτελέσω, μή μοι μεταμώνια νήματ' ὄληται,
Λαέρτῃ ἥρωι ταφήιον, εἰς ὅτε κέν μιν
μοῖρ' ὀλοὴ καθέλῃσι τανηλεγέος θανάτοιο,   100
μή τίς μοι κατὰ δῆμον Ἀχαιϊάδων νεμεσήσῃ,
αἴ κεν ἄτερ σπείρου κεῖται πολλὰ κτεατίσσας'.
"ὣς ἔφαθ', ἡμῖν δ' αὖτ' ἐπεπείθετο θυμὸς ἀγήνωρ.
ἔνθα καὶ ἠματίη μὲν ὑφαίνεσκεν μέγαν ἱστόν,
νύκτας δ' ἀλλύεσκεν, ἐπεὶ δαΐδας παραθεῖτο.   105
ὣς τρίετες μὲν ἔληθε δόλῳ καὶ ἔπειθεν Ἀχαιούς:
ἀλλ' ὅτε τέτρατον ἦλθεν ἔτος καὶ ἐπήλυθον ὧραι,
καὶ τότε δή τις ἔειπε γυναικῶν, ἣ σάφα ᾔδη,

vistosas grevas, aqueus. Lembrados disso, pagais
mal com mal. Incitais vossos filhos. Se vós vos
limitásseis a atacar meus bens, meus rebanhos, isso
não seria o pior. Se devorásseis tudo, poderia, quem 75
sabe, haver indenização. Eu poderia humilhar-me,
percorrer a cidade como pedinte, mendigar
dinheiro até que o perdido me fosse restituído.
Preferis, no entanto, investir contra o coração.
Para esse mal não há cura." Disse. Furioso, 80
atirou o cetro ao chão. Prorrompeu em pranto.
Comoveu a assembleia. Todos se mantiveram
em silêncio. Ninguém ousou contestar as graves
palavras do filho de Odisseu. Só Antínoo revidou:
"Telêmaco, enredador, insuportável! O que ouço? 85
Queres ridicularizar-nos? Sujar-nos? A culpa
não é dos pretendentes, não é dos cidadãos,
culpada é tua mãe, versadíssima em astúcias.
Já estamos no terceiro ano, logo virá o quarto. Esta
mulher tortura corações. Lá no fundo! Enche-nos 90
de esperança, promete, manda mensagens. Seu
pensamento, no entanto, anda em outro lugar.
Vejam os truques da torturadora. Tramou instalar
nos seus aposentos um tear, um primor, enorme.
Disse em seguida: 'Meus queridos pretendentes, 95
Odisseu morreu. Quanto ao casamento, nada
de atropelos. Fiquem tranquilos. Preciso terminar
um manto antes que os fios se corrompam. Trata-se
de uma mortalha para Laertes, um herói. A Moira
implacável o levará em breve nos braços da 100
morte dolorosa. Não quero que me recriminem
em público. Poderiam dizer: jaz sem mortalha um
homem rico.' Foi o que alegou. Abateu nossos
corações viris. Passava os dias atarefada. Mas à
noite, à luz de tochas, desfiava o tecido. Trapaça 105
de três anos! Enganou-nos, ludibriou todos. No
começo do quarto ano, volvidas as estações, uma
criada (bem-informada!) a denunciou. Investigamos.

καὶ τὴν γ' ἀλλύουσαν ἐφεύρομεν ἀγλαὸν ἱστόν.
ὣς τὸ μὲν ἐξετέλεσσε καὶ οὐκ ἐθέλουσ' ὑπ' ἀνάγκης: 110
σοὶ δ' ὧδε μνηστῆρες ὑποκρίνονται, ἵν' εἰδῇς
αὐτὸς σῷ θυμῷ, εἰδῶσι δὲ πάντες Ἀχαιοί:
μητέρα σὴν ἀπόπεμψον, ἄνωχθι δέ μιν γαμέεσθαι
τῷ ὅτεῴ τε πατὴρ κέλεται καὶ ἀνδάνει αὐτῇ.
εἰ δ' ἔτ' ἀνιήσει γε πολὺν χρόνον υἷας Ἀχαιῶν, 115
τὰ φρονέουσ' ἀνὰ θυμόν, ὅ οἱ πέρι δῶκεν Ἀθήνη
ἔργα τ' ἐπίστασθαι περικαλλέα καὶ φρένας ἐσθλὰς
κέρδεά θ', οἷ' οὔ πώ τιν' ἀκούομεν οὐδὲ παλαιῶν,
τάων αἳ πάρος ἦσαν ἐυπλοκαμῖδες Ἀχαιαί,
Τυρώ τ' Ἀλκμήνη τε ἐυστέφανός τε Μυκήνη: 120
τάων οὔ τις ὁμοῖα νοήματα Πηνελοπείῃ
ᾔδη: ἀτὰρ μὲν τοῦτό γ' ἐναίσιμον οὐκ ἐνόησε.
τόφρα γὰρ οὖν βίοτόν τε τεὸν καὶ κτήματ' ἔδονται,
ὄφρα κε κείνη τοῦτον ἔχῃ νόον, ὅν τινά οἱ νῦν
ἐν στήθεσσι τιθεῖσι θεοί. μέγα μὲν κλέος αὐτῇ 125
ποιεῖτ', αὐτὰρ σοί γε ποθὴν πολέος βιότοιο.
ἡμεῖς δ' οὔτ' ἐπὶ ἔργα πάρος γ' ἴμεν οὔτε πῃ ἄλλῃ,
πρίν γ' αὐτὴν γήμασθαι Ἀχαιῶν ᾧ κ' ἐθέλῃσι."
τὸν δ' αὖ Τηλέμαχος πεπνυμένος ἀντίον ηὔδα:
"Ἀντίνο', οὔ πως ἔστι δόμων ἀέκουσαν ἀπῶσαι 130
ἥ μ' ἔτεχ', ἥ μ' ἔθρεψε: πατὴρ δ' ἐμὸς ἄλλοθι γαίης,
ζώει ὅ γ' ἦ τέθνηκε: κακὸν δέ με πόλλ' ἀποτίνειν
Ἰκαρίῳ, αἴ κ' αὐτὸς ἑκὼν ἀπὸ μητέρα πέμψω.
ἐκ γὰρ τοῦ πατρὸς κακὰ πείσομαι, ἄλλα δὲ δαίμων
δώσει, ἐπεὶ μήτηρ στυγερὰς ἀρήσετ' ἐρινῦς 135
οἴκου ἀπερχομένη: νέμεσις δέ μοι ἐξ ἀνθρώπων
ἔσσεται: ὣς οὐ τοῦτον ἐγώ ποτε μῦθον ἐνίψω.
ὑμέτερος δ' εἰ μὲν θυμὸς νεμεσίζεται αὐτῶν,
ἔξιτέ μοι μεγάρων, ἄλλας δ' ἀλεγύνετε δαῖτας
ὑμὰ κτήματ' ἔδοντες ἀμειβόμενοι κατὰ οἴκους. 140
εἰ δ' ὑμῖν δοκέει τόδε λωίτερον καὶ ἄμεινον
ἔμμεναι, ἀνδρὸς ἑνὸς βίοτον νήποινον ὀλέσθαι,
κείρετ': ἐγὼ δὲ θεοὺς ἐπιβώσομαι αἰὲν ἐόντας,
αἴ κέ ποθι Ζεὺς δῷσι παλίντιτα ἔργα γενέσθαι.
νήποινοί κεν ἔπειτα δόμων ἔντοσθεν ὄλοισθε." 145

Denúncia correta! O pano? Ela o desfiava. Embora
contrariada, foi forçada a terminar o trabalho. Aqui
vai a proposta dos pretendentes. Guarda-a bem
na lembrança. É um esclarecimento a todos. Manda
tua mãe à casa de seu pai. Obriga-a casar com quem
ele determinar, consultada, é claro, a preferência
dela. Mas se insistir em ludibriar nobres, orgulhosa
dos dotes com os quais a distinguiu Palas Atena:
artísticos trabalhos de mão, espertezas, quero saber
quem das aqueias no passado procedeu assim. Ao
que sei, mulher nenhuma. Tiro, não, nem Alcmena,
nem a coroada Micena. Quem dessas beldades revelou
atitudes comparáveis às de Penélope? Não se diga
que o que ela maquinou foi sensato. Os pretendentes
continuarão a consumir teus recursos, enquanto ela
insistir nas artimanhas que um deus, não sei qual, lhe
meteu na cabeça. Digamos que ela conquiste para si
mesma fama insuperável. Isso te custará caro. Não
retomaremos nossos afazeres, recusaremos outras
ocupações enquanto ela não se decidir a tomar um de
nós por esposo." Telêmaco deu ao orador ajuizada
resposta: "Não, Antínoo, não sairá da minha casa, se
não quiser, quem me gerou, quem me criou. Meu pai,
vivo ou morto, está longe. Se eu agisse mal, se eu
decidisse botar minha mãe na rua, Icário me puniria.
Eu atrairia o ódio do pai da minha mãe, pior que isso,
a fúria divina. Expulsa, minha mãe invocaria, com
certeza, a vingança da Erínia[8]. Todos me condenariam.
Decididamente, não. Jamais proferirei palavra que
ofenda minha mãe. Se feri sentimentos vossos, deixai
minha casa. Procurai banquetes em outro lugar. Por
que não consumis o que é vosso? Na casa de um, na
casa de outro... Mas se na vossa cabeça é recomendável
liquidar impunemente os recursos de um só, aniquilai-
-me. Invocarei os deuses que sempre são. Espero que
Zeus vos dê a paga que merecem vossos atos. Se
decidis ficar em minha casa, quero vossa ruína, sem

"ὣς φάτο Τηλέμαχος, τῷ δ' αἰετὼ εὐρύοπα Ζεὺς
ὑψόθεν ἐκ κορυφῆς ὄρεος προέηκε πέτεσθαι.
τὼ δ' ἕως μέν ῥ' ἐπέτοντο μετὰ πνοιῇς ἀνέμοιο
πλησίω ἀλλήλοισι τιταινομένω πτερύγεσσιν·
ἀλλ' ὅτε δὴ μέσσην ἀγορὴν πολύφημον ἱκέσθην,   150
ἔνθ' ἐπιδινηθέντε τιναξάσθην πτερὰ πυκνά,
ἐς δ' ἰδέτην πάντων κεφαλάς, ὄσσοντο δ' ὄλεθρον·
δρυψαμένω δ' ὀνύχεσσι παρειὰς ἀμφί τε δειρὰς
δεξιὼ ἤιξαν διά τ' οἰκία καὶ πόλιν αὐτῶν.
θάμβησαν δ' ὄρνιθας, ἐπεὶ ἴδον ὀφθαλμοῖσιν·   155
ὥρμηναν δ' ἀνὰ θυμὸν ἅ περ τελέεσθαι ἔμελλον.
τοῖσι δὲ καὶ μετέειπε γέρων ἥρως Ἁλιθέρσης
Μαστορίδης· ὁ γὰρ οἶος ὁμηλικίην ἐκέκαστο
ὄρνιθας γνῶναι καὶ ἐναίσιμα μυθήσασθαι·
ὅ σφιν ἐὺ φρονέων ἀγορήσατο καὶ μετέειπε·   160
"κέκλυτε δὴ νῦν μευ, Ἰθακήσιοι, ὅττι κεν εἴπω·
μνηστῆρσιν δὲ μάλιστα πιφαυσκόμενος τάδε εἴρω·
τοῖσιν γὰρ μέγα πῆμα κυλίνδεται· οὐ γὰρ Ὀδυσσεὺς
δὴν ἀπάνευθε φίλων ὧν ἔσσεται, ἀλλά που ἤδη
ἐγγὺς ἐὼν τοῖσδεσσι φόνον καὶ κῆρα φυτεύει   165
πάντεσσιν· πολέσιν δὲ καὶ ἄλλοισιν κακὸν ἔσται,
οἳ νεμόμεσθ' Ἰθάκην ἐυδείελον. ἀλλὰ πολὺ πρὶν
φραζώμεσθ', ὥς κεν καταπαύσομεν· οἱ δὲ καὶ αὐτοὶ
παυέσθων· καὶ γάρ σφιν ἄφαρ τόδε λώιόν ἐστιν.
οὐ γὰρ ἀπείρητος μαντεύομαι, ἀλλ' ἐὺ εἰδώς·   170
καὶ γὰρ κείνῳ φημὶ τελευτηθῆναι ἅπαντα,
ὥς οἱ ἐμυθεόμην, ὅτε Ἴλιον εἰσανέβαινον
Ἀργεῖοι, μετὰ δέ σφιν ἔβη πολύμητις Ὀδυσσεύς.
φῆν κακὰ πολλὰ παθόντ', ὀλέσαντ' ἄπο πάντας ἑταίρους,
ἄγνωστον πάντεσσιν ἐεικοστῷ ἐνιαυτῷ   175
οἴκαδ' ἐλεύσεσθαι· τὰ δὲ δὴ νῦν πάντα τελεῖται."
τὸν δ' αὖτ' Εὐρύμαχος Πολύβου πάϊς ἀντίον ηὔδα·
"ὦ γέρον, εἰ δ' ἄγε νῦν μαντεύεο σοῖσι τέκεσσιν
οἴκαδ' ἰών, μή πού τι κακὸν πάσχωσιν ὀπίσσω·
ταῦτα δ' ἐγὼ σέο πολλὸν ἀμείνων μαντεύεσθαι.   180
ὄρνιθες δέ τε πολλοὶ ὑπ' αὐγὰς ἠελίοιο
φοιτῶσ', οὐδέ τε πάντες ἐναίσιμοι· αὐτὰρ Ὀδυσσεὺς

ninguém que vos vingue." Estas foram as palavras. O
longevidente Zeus enviou do cimo do monte duas
águias que pairavam no alto. No princípio, deslizavam
ao sabor do vento, uma ao lado da outra, de asas
estendidas. Ao chegarem, entretanto, ao centro da 150
turbulenta assembleia, começaram a girar e a agitar
plumagem compacta. As cabeças reunidas fulgiam
com olhares de morte. Rasgavam com as garras cara
e pescoço uma da outra. Derivaram, então, para a
direita, sobre as casas. As aves assombraram os que 155
as observavam atentos. O coração perguntava pelo
sentido dessa visão. Falou-lhes um dos heróis, o
venerando Aliterse, filho de Mastor. Só ele, no
conceito dos de sua idade, era entendido em aves,
só ele saberia emitir juízo adequado. Tomando a 160
palavra, falou com autoridade: "Atenção, itacenses!
Tratemos de botar a cabeça no lugar. Me refiro a
todos, sobretudo aos pretendentes. O perigo é sério.
Odisseu vai aparecer. Ele está por aí, nas imediações,
com planos de morte. Não escapa ninguém. Não 165
pensem os moradores de Ítaca que estão livres por
morarem numa ilha que se vê de longe. Pensem! O
momento de fazer planos para evitar a ruína é este.
Advirto os pretendes: Parem. Falo com energia para
o bem dos ameaçados. Não faço previsões como 170
inexperiente. Sei o que digo. Com respeito a Odisseu,
asseguro que tudo acontecerá aos comandados por
esse homem versátil na campanha argiva contra
Troia como previ. Eu disse que padeceriam muito,
que pereceriam todos, que Odisseu regressaria no 175
vigésimo ano, sem ser reconhecido por ninguém.
Tudo isso está prestes a se cumprir." Respondeu-lhe
Eurímaco, filho de Pólibo: "Vai pra casa, velhinho.
Profetiza a teus filhos. Que se cuidem porque
o bicho pega. Eu te garanto que te supero na arte de 180
prever. O sol ilumina o voo de inúmeras aves, nem
todas são agourentas. Odisseu está morto. Anotem

ὤλετο τῆλ', ὡς καὶ σὺ καταφθίσθαι σὺν ἐκείνῳ
ὤφελες. οὐκ ἂν τόσσα θεοπροπέων ἀγόρευες,
οὐδέ κε Τηλέμαχον κεχολωμένον ὧδ' ἀνιείης, 185
σῷ οἴκῳ δῶρον ποτιδέγμενος, αἴ κε πόρῃσιν.
ἀλλ' ἔκ τοι ἐρέω, τὸ δὲ καὶ τετελεσμένον ἔσται·
αἴ κε νεώτερον ἄνδρα παλαιά τε πολλά τε εἰδὼς
παρφάμενος ἐπέεσσιν ἐποτρύνῃς χαλεπαίνειν,
αὐτῷ μέν οἱ πρῶτον ἀνιηρέστερον ἔσται, 190
πρῆξαι δ' ἔμπης οὔ τι δυνήσεται εἵνεκα τῶνδε·
σοὶ δέ, γέρον, θωὴν ἐπιθήσομεν, ἥν κ' ἐνὶ θυμῷ
τίνων ἀσχάλλῃς· χαλεπὸν δέ τοι ἔσσεται ἄλγος.
Τηλεμάχῳ δ' ἐν πᾶσιν ἐγὼν ὑποθήσομαι αὐτός·
μητέρα ἣν ἐς πατρὸς ἀνωγέτω ἀπονέεσθαι· 195
οἱ δὲ γάμον τεύξουσι καὶ ἀρτυνέουσιν ἔεδνα
πολλὰ μάλ', ὅσσα ἔοικε φίλης ἐπὶ παιδὸς ἕπεσθαι.
οὐ γὰρ πρὶν παύσεσθαι ὀΐομαι υἷας Ἀχαιῶν
μνηστύος ἀργαλέης, ἐπεὶ οὔ τινα δείδιμεν ἔμπης,
οὔτ' οὖν Τηλέμαχον μάλα περ πολύμυθον ἐόντα, 200
οὔτε θεοπροπίης ἐμπαζόμεθ', ἣν σύ, γεραιέ,
μυθέαι ἀκράαντον, ἀπεχθάνεαι δ' ἔτι μᾶλλον.
χρήματα δ' αὖτε κακῶς βεβρώσεται, οὐδέ ποτ' ἶσα
ἔσσεται, ὄφρα κεν ἥ γε διατρίβῃσιν Ἀχαιοὺς
ὃν γάμον· ἡμεῖς δ' αὖ ποτιδέγμενοι ἤματα πάντα 205
εἵνεκα τῆς ἀρετῆς ἐριδαίνομεν, οὐδὲ μετ' ἄλλας
ἐρχόμεθ', ἃς ἐπιεικὲς ὀπυιέμεν ἐστὶν ἑκάστῳ."
τὸν δ' αὖ Τηλέμαχος πεπνυμένος ἀντίον ηὔδα·
"Εὐρύμαχ' ἠδὲ καὶ ἄλλοι, ὅσοι μνηστῆρες ἀγαυοί,
ταῦτα μὲν οὐχ ὑμέας ἔτι λίσσομαι οὐδ' ἀγορεύω· 210
ἤδη γὰρ τὰ ἴσασι θεοὶ καὶ πάντες Ἀχαιοί.
ἀλλ' ἄγε μοι δότε νῆα θοὴν καὶ εἴκοσ' ἑταίρους,
οἵ κέ μοι ἔνθα καὶ ἔνθα διαπρήσσωσι κέλευθον.
εἶμι γὰρ ἐς Σπάρτην τε καὶ ἐς Πύλον ἠμαθόεντα
νόστον πευσόμενος πατρὸς δὴν οἰχομένοιο, 215
ἤν τίς μοι εἴπῃσι βροτῶν ἢ ὄσσαν ἀκούσω
ἐκ Διός, ἥ τε μάλιστα φέρει κλέος ἀνθρώποισιν·
εἰ μέν κεν πατρὸς βίοτον καὶ νόστον ἀκούσω,
ἦ τ' ἄν, τρυχόμενός περ, ἔτι τλαίην ἐνιαυτόν·

isso. Por que não esticaste a canela como ele? Morto,
não anunciarias tanta asneira. Não alimentarias
a cólera de Telêmaco, esperançoso do prêmio 185
que lhe reservas em tua casa. Não esqueças o que
te digo. O cumprimento é certo. Não duvides.
Se, entendido em velharias, iludes esse fedelho com
expectativas vazias, se o incitas a ações arriscadas,
ele será o primeiro a se dar mal. Esta assembleia 190
não o ajudará em nada. O fracasso será tua sentença,
meu velho. A intranquilidade te envenenará o
coração. Dor intensa te atormentará. Esta é minha
advertência a Telêmaco na presença de todos. Que
ele persuada Penélope a retornar à casa paterna. Lá 195
se acertarão as núpcias e o valor oferecido por quem
se candidata à mão de uma filha prestigiada. Garanto
que antes disso não cessará o incômodo empenho
dos filhos dos aqueus para tê-la como esposa. Não
tememos ninguém. Nem Telêmaco, por eloquente que 200
seja, nem a ti, velho, que queres ludibriar-nos com
vaticínios. Não nos convences. És irritante, e muito.
Continuaremos a dilapidar tua fortuna, Telêmaco. Não
haverá indenização. Basta de truques, de protelações.
Esperaremos se for necessário. Estamos na disputa. Só 205
nos interessa o que ela tem a nos oferecer. Outras não
procuraremos. Não queremos saber das vantagens de
outras uniões." Veio a resposta do avisado Telêmaco:
"Eurímaco e vós, nobres pretendentes, sugiro que
deixemos isso de lado. Considero deuses e homens 210
já suficientemente informados. Tratemos de outro
assunto. Peço-vos uma nau rápida e uma tripulação de
vinte homens para uma viagem de ida e de volta. Vou
a Esparta e à arenosa Pilos para obter informações
sobre o regresso de meu pai, há muito ausente. A 215
orientação poderá vir de um homem, ou da voz de
Zeus, que divulga a grandes distâncias cometimentos
de heróis. Se eu obtiver algum indício da vida e do
regresso dele, enfrentarei outro ano de sofrimentos,

εἰ δέ κε τεθνηῶτος ἀκούσω μηδ' ἔτ' ἐόντος, 220
νοστήσας δὴ ἔπειτα φίλην ἐς πατρίδα γαῖαν
σῆμά τέ οἱ χεύω καὶ ἐπὶ κτέρεα κτερεΐξω
πολλὰ μάλ', ὅσσα ἔοικε, καὶ ἀνέρι μητέρα δώσω."
ἦ τοι ὅ γ' ὣς εἰπὼν κατ' ἄρ' ἕζετο, τοῖσι δ' ἀνέστη
Μέντωρ, ὅς ῥ' Ὀδυσῆος ἀμύμονος ἦεν ἑταῖρος, 225
καὶ οἱ ἰὼν ἐν νηυσὶν ἐπέτρεπεν οἶκον ἅπαντα,
πείθεσθαί τε γέροντι καὶ ἔμπεδα πάντα φυλάσσειν·
ὅ σφιν ἐῢ φρονέων ἀγορήσατο καὶ μετέειπεν·

"κέκλυτε δὴ νῦν μευ, Ἰθακήσιοι, ὅττι κεν εἴπω·
μή τις ἔτι πρόφρων ἀγανὸς καὶ ἤπιος ἔστω 230
σκηπτοῦχος βασιλεύς, μηδὲ φρεσὶν αἴσιμα εἰδώς,
ἀλλ' αἰεὶ χαλεπός τ' εἴη καὶ αἴσυλα ῥέζοι·
ὡς οὔ τις μέμνηται Ὀδυσσῆος θείοιο
λαῶν οἷσιν ἄνασσε, πατὴρ δ' ὣς ἤπιος ἦεν.
ἀλλ' ἦ τοι μνηστῆρας ἀγήνορας οὔ τι μεγαίρω 235
ἔρδειν ἔργα βίαια κακορραφίῃσι νόοιο·
σφὰς γὰρ παρθέμενοι κεφαλὰς κατέδουσι βιαίως
οἶκον Ὀδυσσῆος, τὸν δ' οὐκέτι φασὶ νέεσθαι.
νῦν δ' ἄλλῳ δήμῳ νεμεσίζομαι, οἷον ἅπαντες
ἧσθ' ἄνεῳ, ἀτὰρ οὔ τι καθαπτόμενοι ἐπέεσσι 240
παύρους μνηστῆρας καταπαύετε πολλοὶ ἐόντες."
τὸν δ' Εὐηνορίδης Λειώκριτος ἀντίον ηὔδα·
"Μέντορ ἀταρτηρέ, φρένας ἠλεέ, ποῖον ἔειπες
ἡμέας ὀτρύνων καταπαυέμεν. ἀργαλέον δὲ
ἀνδράσι καὶ πλεόνεσσι μαχήσασθαι περὶ δαιτί. 245
εἴ περ γάρ κ' Ὀδυσεὺς Ἰθακήσιος αὐτὸς ἐπελθὼν
δαινυμένους κατὰ δῶμα ἑὸν μνηστῆρας ἀγαυοὺς
ἐξελάσαι μεγάροιο μενοινήσει' ἐνὶ θυμῷ,
οὔ κέν οἱ κεχάροιτο γυνή, μάλα περ χατέουσα,
ἐλθόντ', ἀλλά κεν αὐτοῦ ἀεικέα πότμον ἐπίσποι, 250
εἰ πλεόνεσσι μάχοιτο· σὺ δ' οὐ κατὰ μοῖραν ἔειπες.
ἀλλ' ἄγε, λαοὶ μὲν σκίδνασθ' ἐπὶ ἔργα ἕκαστος,
τούτῳ δ' ὀτρυνέει Μέντωρ ὁδὸν ἠδ' Ἁλιθέρσης,
οἵ τέ οἱ ἐξ ἀρχῆς πατρώιοί εἰσιν ἑταῖροι.
ἀλλ' ὀίω, καὶ δηθὰ καθήμενος ἀγγελιάων 255

de tormentos. Mas se souber que ele está efetivamente   220
morto, que já não existe regresso do herói à sua
pátria amada, ergo-lhe uma sepultura e presto-lhe
homenagens fúnebres, abundantes, dignas de uma
viúva." Com estas palavras, sentou-se. Levantou-se,
então, Mentor, amigo fiel de Odisseu. Ao embarcar,   225
foi a ele que Odisseu confiou a casa inteira. Rogou-
-lhe ficar atento à vontade do ancião[9] e cuidar de
tudo. Na melhor das intenções, este dirigiu-se a eles:

"Peço que presteis atenção ao que tenho a vos dizer,
itacenses. Gentileza e amabilidade são virtudes   230
ultrapassadas. Por que um rei reinaria com cetro
justo? Seja violento, pratique crimes! Quem deste
povo ainda se lembra de Odisseu, o governante
que vos regeu com branduras de pai? A arrogância
dos pretendentes não me causa inveja, suas tramas,   235
seus desmandos, seus atos criminosos tampouco. As
agressões perpetradas contra a casa de Odisseu lhes
põem em risco o pescoço. Quem garante que ele não
retornará? Adianta? Indigno-me contra este povo
aqui aglomerado em silêncio e que, embora numeroso,   240
não ousa nem falar contra este punhado de atrevidos."
Contestou-lhe Leócrito, filho de Evenor:
"Mentor de mente atordoada, confias na força de tuas
palavras? Queres deter-nos? O argumento é comida?
Atacas este contingente de valentes? Pensas que   245
Odisseu, se voltasse, poderia sozinho expulsar de sua
casa, de peito inflamado, brilhantes pretendentes por
não os desejar à mesa? A mulher dele jamais terá a
alegria de seu regresso, por mais que o queira.
Destino cruel o aguarda, se enfrentar esta gente toda.   250
A Moira não apoia teu discurso. Está bem. Espalhe-se
o povo. Volte cada um a seus negócios. Que nossos
passos enveredem por esse caminho, nisso insistem
Mentor e Haliterse, velhos amigos de teu pai. Sabes o
que penso? Ele, agachado por aí, acompanha o que   255

πεύσεται εἰν Ἰθάκῃ, τελέει δ' ὁδὸν οὔ ποτε ταύτην."
ὣς ἄρ' ἐφώνησεν, λῦσεν δ' ἀγορὴν αἰψηρήν.
οἱ μὲν ἄρ' ἐσκίδναντο ἑὰ πρὸς δώμαθ' ἕκαστος,
μνηστῆρες δ' ἐς δώματ' ἴσαν θείου Ὀδυσῆος.
Τηλέμαχος δ' ἀπάνευθε κιὼν ἐπὶ θῖνα θαλάσσης, 260
χεῖρας νιψάμενος πολιῆς ἁλὸς εὔχετ' Ἀθήνῃ·
"κλῦθί μευ, ὃ χθιζὸς θεὸς ἤλυθες ἡμέτερον δῶ
καὶ μ' ἐν νηὶ κέλευσας ἐπ' ἠεροειδέα πόντον
νόστον πευσόμενον πατρὸς δὴν οἰχομένοιο
ἔρχεσθαι· τὰ δὲ πάντα διατρίβουσιν Ἀχαιοί, 265
μνηστῆρες δὲ μάλιστα κακῶς ὑπερηνορέοντες."
ὣς ἔφατ' εὐχόμενος, σχεδόθεν δέ οἱ ἦλθεν Ἀθήνη,
Μέντορι εἰδομένη ἠμὲν δέμας ἠδὲ καὶ αὐδήν,
καί μιν φωνήσασ' ἔπεα πτερόεντα προσηύδα·
"Τηλέμαχ', οὐδ' ὄπιθεν κακὸς ἔσσεαι οὐδ' ἀνοήμων, 270
εἰ δή τοι σοῦ πατρὸς ἐνέστακται μένος ἠΰ,
οἷος κεῖνος ἔην τελέσαι ἔργον τε ἔπος τε·
οὔ τοι ἔπειθ' ἁλίη ὁδὸς ἔσσεται οὐδ' ἀτέλεστος.
εἰ δ' οὐ κείνου γ' ἐσσὶ γόνος καὶ Πηνελοπείης,
οὔ σέ γ' ἔπειτα ἔολπα τελευτήσειν, ἃ μενοινᾷς. 275
παῦροι γάρ τοι παῖδες ὁμοῖοι πατρὶ πέλονται,
οἱ πλέονες κακίους, παῦροι δέ τε πατρὸς ἀρείους.
ἀλλ' ἐπεὶ οὐδ' ὄπιθεν κακὸς ἔσσεαι οὐδ' ἀνοήμων,
οὐδέ σε πάγχυ γε μῆτις Ὀδυσσῆος προλέλοιπεν,
ἐλπωρή τοι ἔπειτα τελευτῆσαι τάδε ἔργα. 280
τῶ νῦν μνηστήρων μὲν ἔα βουλήν τε νόον τε
ἀφραδέων, ἐπεὶ οὔ τι νοήμονες οὐδὲ δίκαιοι·
οὐδέ τι ἴσασιν θάνατον καὶ κῆρα μέλαιναν,
ὃς δή σφι σχεδόν ἐστιν, ἐπ' ἤματι πάντας ὀλέσθαι.
σοὶ δ' ὁδὸς οὐκέτι δηρὸν ἀπέσσεται ἣν σὺ μενοινᾷς· 285
τοῖος γάρ τοι ἑταῖρος ἐγὼ πατρώϊός εἰμι,
ὅς τοι νῆα θοὴν στελέω καὶ ἅμ' ἕψομαι αὐτός.
ἀλλὰ σὺ μὲν πρὸς δώματ' ἰὼν μνηστῆρσιν ὁμίλει,
ὅπλισσόν τ' ἤϊα καὶ ἄγγεσιν ἄρσον ἅπαντα,
οἶνον ἐν ἀμφιφορεῦσι, καὶ ἄλφιτα, μυελὸν ἀνδρῶν, 290
δέρμασιν ἐν πυκινοῖσιν· ἐγὼ δ' ἀνὰ δῆμον ἑταίρους
αἶψ' ἐθελοντῆρας συλλέξομαι. εἰσὶ δὲ νῆες

se passa, sem coragem para concluir a viagem." Foram
estas as últimas palavras. A assembleia se dissolveu.
Por rumos diferentes, cada um procurou sua própria
residência. Menos os pretendentes. Estes foram ao
palácio. Longe de todos, Telêmaco andava à beira do 260
mar. Com as mãos nas águas escuras, invocou Palas:
"Ouve-me, deusa. Estiveste ontem em minha casa
e me ordenaste desafiar o mar sombrio em busca de
informações sobre o regresso de meu pai. Os aqueus
dificultam essa providência, os pretendentes, 265
opositores pretensiosos mais que todos. Perversos!"
Foi esta a prece. Aproximou-se Atena. Parecia
Mentor na argumentação e na conduta. Dirigindo-lhe
palavras escolhidas, pronunciou-se assim:
"Telêmaco, não serás homem vil nem ignorante, se 270
no futuro te assistir o intrépido vigor de teu pai, não
terás o dissabor de jornada frustrada. No desempenho
dos trabalhos e da palavra, ninguém o igualava.
Mas se não te mostrares filho dele e de Penélope,
não esperes realizar o que pretendes. Não são 275
muitos os filhos que igualam quem os gerou. A
maioria decai, poucos os imitam na bravura. Agora,
se, não fores débil nem falto de saber, se não
te desamparar a inteligência que Odisseu te legou,
há esperança de que concluas a tarefa. Não te 280
preocupes, por ora, com os planos e as artimanhas
dos pretendentes. Não te surpreenderão com lances
solertes. Não suspeitam morte, golpe vingador,
embora perto esteja o dia em que todos verão o fim.
Longe não está a vereda que te leva ao que intentas. 285
Amigo de teu pai me declaro e teu. Te seguirei no
navio que aparelhei. Não tenhas receio. Retorna
à tua casa. Enfrenta os insolentes. Arranja tudo:
canastras, ânforas, víveres. Acomoda em couros
resistentes o que for necessário para o sustento de 290
teus homens. A tripulação fica por minha conta.
Sem demora, encontrarei voluntários pelas ruas.

πολλαὶ ἐν ἀμφιάλῳ Ἰθάκῃ, νέαι ἠδὲ παλαιαί·
τάων μέν τοι ἐγὼν ἐπιόψομαι ἥ τις ἀρίστη,
ὦκα δ' ἐφοπλίσσαντες ἐνήσομεν εὐρέι πόντῳ." 295
ὣς φάτ' Ἀθηναίη κούρη Διός· οὐδ' ἄρ' ἔτι δὴν
Τηλέμαχος παρέμιμνεν, ἐπεὶ θεοῦ ἔκλυεν αὐδήν.
βῆ δ' ἰέναι πρὸς δῶμα, φίλον τετιημένος ἦτορ,
εὗρε δ' ἄρα μνηστῆρας ἀγήνορας ἐν μεγάροισιν,
αἶγας ἀνιεμένους σιάλους θ' εὔοντας ἐν αὐλῇ. 300
Ἀντίνοος δ' ἰθὺς γελάσας κίε Τηλεμάχοιο,
ἔν τ' ἄρα οἱ φῦ χειρί, ἔπος τ' ἔφατ' ἔκ τ' ὀνόμαζε·
"Τηλέμαχ' ὑψαγόρη, μένος ἄσχετε, μή τί τοι ἄλλο
ἐν στήθεσσι κακὸν μελέτω ἔργον τε ἔπος τε,
ἀλλά μοι ἐσθιέμεν καὶ πινέμεν, ὡς τὸ πάρος περ. 305
ταῦτα δέ τοι μάλα πάντα τελευτήσουσιν Ἀχαιοί,
νῆα καὶ ἐξαίτους ἐρέτας, ἵνα θᾶσσον ἵκηαι
ἐς Πύλον ἠγαθέην μετ' ἀγαυοῦ πατρὸς ἀκουήν."
τὸν δ' αὖ Τηλέμαχος πεπνυμένος ἀντίον ηὔδα·
"Ἀντίνο', οὔ πως ἔστιν ὑπερφιάλοισι μεθ' ὑμῖν 310
δαίνυσθαί τ' ἀκέοντα καὶ εὐφραίνεσθαι ἔκηλον.
ἦ οὐχ ἅλις ὡς τὸ πάροιθεν ἐκείρετε πολλὰ καὶ ἐσθλὰ
κτήματ' ἐμά, μνηστῆρες, ἐγὼ δ' ἔτι νήπιος ἦα;
νῦν δ' ὅτε δὴ μέγας εἰμὶ καὶ ἄλλων μῦθον ἀκούων
πυνθάνομαι, καὶ δή μοι ἀέξεται ἔνδοθι θυμός, 315
πειρήσω, ὥς κ' ὔμμι κακὰς ἐπὶ κῆρας ἰήλω,
ἠὲ Πύλονδ' ἐλθών, ἢ αὐτοῦ τῷδ' ἐνὶ δήμῳ.
εἶμι μέν, οὐδ' ἁλίη ὁδὸς ἔσσεται ἣν ἀγορεύω,
ἔμπορος· οὐ γὰρ νηὸς ἐπήβολος οὐδ' ἐρετάων
γίγνομαι· ὥς νύ που ὔμμιν ἐείσατο κέρδιον εἶναι." 320
ἦ ῥα, καὶ ἐκ χειρὸς χεῖρα σπάσατ' Ἀντινόοιο
ῥεῖα· μνηστῆρες δὲ δόμον κάτα δαῖτα πένοντο.
οἱ δ' ἐπελώβευον καὶ ἐκερτόμεον ἐπέεσσιν.
ὧδε δέ τις εἴπεσκε νέων ὑπερηνορεόντων·
"ἦ μάλα Τηλέμαχος φόνον ἡμῖν μερμηρίζει. 325
ἤ τινας ἐκ Πύλου ἄξει ἀμύντορας ἠμαθόεντος
ἢ ὅ γε καὶ Σπάρτηθεν, ἐπεί νύ περ ἵεται αἰνῶς·
ἠὲ καὶ εἰς Ἐφύρην ἐθέλει, πίειραν ἄρουραν,
ἐλθεῖν, ὄφρ' ἔνθεν θυμοφθόρα φάρμακ' ἐνείκῃ,

Não faltam navios nesta Ítaca cercada de mar. De
novos e velhos, escolherei o melhor. Aparelhados,
ganharemos em breve amplos horizontes úmidos." 295
Assim falou Atena, filha de Zeus. Não se retardou
Telêmaco, tocado pela voz da deusa. Rumo ao solar,
apressou o passo. Tempestades rugiam-lhe no peito.
Os pretendentes já estavam a postos, arrogantes:
esfolavam cabras, tostavam porcos no pátio. Antínoo 300
não esperou. Aproximou-se de Telêmaco, rindo.
Estendeu-lhe a mão e lhe disse loquaz: "Eloquente
Telêmaco, por que essa carranca? Não amargures
o coração. Em lugar de palavras rudes, por que não
comemos e bebemos juntos, como fazíamos antes? 305
Esquece navio e remeiros. Os aqueus tomarão conta de
tudo. Terás nau e marinheiros de primeira qualidade.
Logo estarás na Pilos sagrada e te darão notícia do teu
brilhante pai." Telêmaco deu-lhe resposta bem refletida:
"Antínoo, não posso sentar-me à mesa com gente do 310
teu quilate. Não posso divertir-me contrariado. Já não
basta o estrago que vocês, pretendentes, fizeram
na minha propriedade enquanto eu ainda era criança?
Sou homem, Antínoo. Converso com outras pessoas.
Procuro entender. Meu coração salta dentro de mim. 315
Meus planos são funestos. Quero a desgraça de vocês,
esteja eu em Pilos ou aqui na cidade. Parto. Não farei
viagem inútil. Viajo como um comerciante qualquer.
Não sou dono de navio, nautas não tenho,
o que não deixa de ser vantajoso para vocês." Quando 320
Telêmaco retirou a mão, a de Antínoo já estava frouxa.
Os pretendentes tomavam as últimas providências
para a refeição. Ouviam-se insultos, injúrias. Um
jovem, muito mais arrogante que os outros, observou:
"Vejam só! Telêmaco planeja nossa morte. A arenosa 325
Pilos lhe fornecerá adeptos? Irá procurar auxílio
em Esparta? O aspecto dele é sinistro. Os campos
férteis de Efira não devem estar fora de seus planos.
Lá poderá encontrar ervas mortíferas que, lançadas

ἐν δὲ βάλῃ κρητῆρι καὶ ἡμέας πάντας ὀλέσσῃ."   330
ἄλλος δ' αὖτ' εἴπεσκε νέων ὑπερηνορεόντων·
"τίς δ' οἶδ', εἴ κε καὶ αὐτὸς ἰὼν κοίλης ἐπὶ νηὸς
τῆλε φίλων ἀπόληται ἀλώμενος ὥς περ Ὀδυσσεύς;
οὕτω κεν καὶ μᾶλλον ὀφέλλειεν πόνον ἄμμιν·
κτήματα γάρ κεν πάντα δασαίμεθα, οἰκία δ' αὖτε   335
τούτου μητέρι δοῖμεν ἔχειν ἠδ' ὅς τις ὀπυίοι."

ὣς φάν, ὁ δ' ὑψόροφον θάλαμον κατεβήσετο πατρὸς
εὐρύν, ὅθι νητὸς χρυσὸς καὶ χαλκὸς ἔκειτο
ἐσθής τ' ἐν χηλοῖσιν ἅλις τ' εὐῶδες ἔλαιον·
ἐν δὲ πίθοι οἴνοιο παλαιοῦ ἡδυπότοιο   340
ἕστασαν, ἄκρητον θεῖον ποτὸν ἐντὸς ἔχοντες,
ἑξείης ποτὶ τοῖχον ἀρηρότες, εἴ ποτ' Ὀδυσσεὺς
οἴκαδε νοστήσειε καὶ ἄλγεα πολλὰ μογήσας.
κληισταὶ δ' ἔπεσαν σανίδες πυκινῶς ἀραρυῖαι,
δικλίδες· ἐν δὲ γυνὴ ταμίη νύκτας τε καὶ ἦμαρ   345
ἔσχ', ἣ πάντ' ἐφύλασσε νόου πολυϊδρείῃσιν,
Εὐρύκλει', Ὦπος θυγάτηρ Πεισηνορίδαο.
τὴν τότε Τηλέμαχος προσέφη θαλαμόνδε καλέσσας·
"μαῖ', ἄγε δή μοι οἶνον ἐν ἀμφιφορεῦσιν ἄφυσσον
ἡδύν, ὅτις μετὰ τὸν λαρώτατος ὃν σὺ φυλάσσεις   350
κεῖνον ὀιομένη τὸν κάμμορον, εἴ ποθεν ἔλθοι
διογενὴς Ὀδυσεὺς θάνατον καὶ κῆρας ἀλύξας.
δώδεκα δ' ἔμπλησον καὶ πώμασιν ἄρσον ἅπαντας.
ἐν δέ μοι ἄλφιτα χεῦον ἐϋρραφέεσσι δοροῖσιν·
εἴκοσι δ' ἔστω μέτρα μυληφάτου ἀλφίτου ἀκτῆς.   355
αὐτὴ δ' οἴη ἴσθι· τὰ δ' ἀθρόα πάντα τετύχθω·
ἑσπέριος γὰρ ἐγὼν αἱρήσομαι, ὁππότε κεν δὴ
μήτηρ εἰς ὑπερῷ' ἀναβῇ κοίτου τε μέδηται.
εἶμι γὰρ ἐς Σπάρτην τε καὶ ἐς Πύλον ἠμαθόεντα
νόστον πευσόμενος πατρὸς φίλου, ἤν που ἀκούσω."   360
ὣς φάτο, κώκυσεν δὲ φίλη τροφὸς Εὐρύκλεια,
καί ῥ' ὀλοφυρομένη ἔπεα πτερόεντα προσηύδα·
"τίπτε δέ τοι, φίλε τέκνον, ἐνὶ φρεσὶ τοῦτο νόημα
ἔπλετο; πῇ δ' ἐθέλεις ἰέναι πολλὴν ἐπὶ γαῖαν
μοῦνος ἐὼν ἀγαπητός; ὁ δ' ὤλετο τηλόθι πάτρης   365

em nossas crateras, nos matarão a todos." Outro, 330
de arrogância igual, acrescentou: "Quem sabe!
Embarcado em nau bojuda, não poderia morrer, longe
de amigos, como o outro desgraçado, Odisseu? Já
pensaram nisso? Que trabalheira! Teríamos que dividir
seus bens. Reservaríamos a casa para a mãe 335
e para o outro, aquele que ela quisesse como marido."

Mal terminou de falar, Telêmaco desceu ao espaçoso
aposento de seu pai onde se guardavam montões
de ouro e bronze, grande quantidade de cofres com
vestes, óleo odorífico, barris de vinho velho, delicioso, 340
bebida dos deuses, abundante, pura, barris dispostos
em série ao longo da parede, reservados para o retorno
de Odisseu, findos incontáveis trabalhos. Pranchas
protegiam as riquezas, portas duplas de bons ferrolhos.
Lá residia uma serva que supervisionava tudo, noite 345
e dia. Administrava o tesouro com sabedoria e muita
experiência, Euricleia, filha de Opo, filho de Pisenor.
Telêmaco a chamou à câmara para lhe dar instruções:
"Mãezinha, rogo-te que me enchas os jarros de vinho,
o melhor, guardado em barris que só tu conheces, 350
homenagem ao sofredor que um dia retornará, o divino
Odisseu, findas mortes e matanças. Enche doze odres
e tampa-os com toda segurança. Necessito também de
farinha de cevada acondicionada em sacos de boa
costura, vinte medidas de farinha triturada pela mó. Não 355
permitas que saibam dessas providências. Deixa tudo
preparado. Venho buscar os suprimentos à noite
quando minha mãe se recolher a seus aposentos para
descansar. Navego a Esparta e à arenosa Pilos para me
informar sobre o destino do meu querido pai. Vou em 360
procura de notícias." Foram estas as ordens. Lamentou-
-se, aos brados, Euricleia, a ama querida. Chorando,
palavras voaram-lhe da boca: "De que maneira, filho,
pode esse propósito tomar-te o coração? Para onde no
vasto mundo pretendes ir, querido? Só tenho tu. Longe 365

διογενὴς Ὀδυσεὺς ἀλλογνώτῳ ἐνὶ δήμῳ.
οἱ δέ τοι αὐτίκ' ἰόντι κακὰ φράσσονται ὀπίσσω,
ὥς κε δόλῳ φθίῃς, τάδε δ' αὐτοὶ πάντα δάσονται.
ἀλλὰ μέν' αὖθ' ἐπὶ σοῖσι καθήμενος· οὐδέ τί σε χρὴ
πόντον ἐπ' ἀτρύγετον κακὰ πάσχειν οὐδ' ἀλάλησθαι." 370
τὴν δ' αὖ Τηλέμαχος πεπνυμένος ἀντίον ηὔδα·
"θάρσει, μαῖ', ἐπεὶ οὔ τοι ἄνευ θεοῦ ἥδε γε βουλή.
ἀλλ' ὄμοσον μὴ μητρὶ φίλῃ τάδε μυθήσασθαι,
πρίν γ' ὅτ' ἂν ἑνδεκάτη τε δυωδεκάτη τε γένηται,
ἢ αὐτὴν ποθέσαι καὶ ἀφορμηθέντος ἀκοῦσαι, 375
ὡς ἂν μὴ κλαίουσα κατὰ χρόα καλὸν ἰάπτῃ."
ὣς ἄρ' ἔφη, γρῆυς δὲ θεῶν μέγαν ὅρκον ἀπώμνυ.
αὐτὰρ ἐπεί ῥ' ὄμοσέν τε τελεύτησέν τε τὸν ὅρκον,
αὐτίκ' ἔπειτά οἱ οἶνον ἐν ἀμφιφορεῦσιν ἄφυσσεν,
ἐν δέ οἱ ἄλφιτα χεῦεν ἐϋρραφέεσσι δοροῖσι. 380
Τηλέμαχος δ' ἐς δώματ' ἰὼν μνηστῆρσιν ὁμίλει.
ἔνθ' αὖτ' ἄλλ' ἐνόησε θεά, γλαυκῶπις Ἀθήνη.
Τηλεμάχῳ ἐϊκυῖα κατὰ πτόλιν ᾤχετο πάντῃ,
καί ῥα ἑκάστῳ φωτὶ παρισταμένη φάτο μῦθον,
ἑσπερίους δ' ἐπὶ νῆα θοὴν ἀγέρεσθαι ἀνώγει. 385
ἡ δ' αὖτε Φρονίοιο Νοήμονα φαίδιμον υἱὸν
ᾔτεε νῆα θοήν· ὁ δέ οἱ πρόφρων ὑπέδεκτο.
δύσετό τ' ἠέλιος σκιόωντό τε πᾶσαι ἀγυιαί,
καὶ τότε νῆα θοὴν ἅλαδ' εἴρυσε, πάντα δ' ἐν αὐτῇ
ὅπλ' ἐτίθει, τά τε νῆες ἐΰσσελμοι φορέουσι. 390
στῆσε δ' ἐπ' ἐσχατιῇ λιμένος, περὶ δ' ἐσθλοὶ ἑταῖροι
ἀθρόοι ἠγερέθοντο· θεὰ δ' ὤτρυνεν ἕκαστον.
ἔνθ' αὖτ' ἄλλ' ἐνόησε θεά, γλαυκῶπις Ἀθήνη.
βῆ ἰέναι πρὸς δώματ' Ὀδυσσῆος θείοιο·
ἔνθα μνηστήρεσσιν ἐπὶ γλυκὺν ὕπνον ἔχευε, 395
πλάζε δὲ πίνοντας, χειρῶν δ' ἔκβαλλε κύπελλα.
οἱ δ' εὕδειν ὤρνυντο κατὰ πτόλιν, οὐδ' ἄρ' ἔτι δὴν
ἧατ', ἐπεί σφισιν ὕπνος ἐπὶ βλεφάροισιν ἔπιπτεν.
αὐτὰρ Τηλέμαχον προσέφη γλαυκῶπις Ἀθήνη
ἐκπροκαλεσσαμένη μεγάρων ἐὺ ναιεταόντων, 400
Μέντορι εἰδομένη ἠμὲν δέμας ἠδὲ καὶ αὐδήν·
"Τηλέμαχ', ἤδη μέν τοι ἐϋκνήμιδες ἑταῖροι

da pátria findou Odisseu, o gerado pela vontade de Zeus,
em terra ignota. A perseguição destes – impostores! –,
mal tenhas partido, não tardará. Querem destruir-te,
apossar-se de tudo. Fica. Cuida do que é teu. Por que
te aventurar ao mar bravio? Por que sofrer? Por que   370
perecer?" Telêmaco lhe respondeu com muito respeito:
"Não te aflijas, mãezinha. Não tomei esta decisão sem
orientação divina. Mas não reveles nada disso – juras? –
à minha querida mãe. Espera uns onze ou doze dias,
até que pergunte por que parti, para onde fui.   375
Não quero que as lágrimas afeiem suas belas faces."
Assim falou Telêmaco. A anciã jurou solene e, sem
demora, pôs-se a executar o que jurara: verteu vinho
nas ânforas de barro, encheu de farinha os sacos
de mais resistente tecido. Entrementes, Telêmaco se   380
uniu aos pretendentes no palácio. Outra providência
passou pelos olhos indagativos de Atena. Assumindo
a aparência de Telêmaco, percorreu a cidade toda.
A cada um que encontrava dizia uma palavra.
Convidou todos para uma reunião à noite junto à nau   385
ligeira. A Noemon, filho galhardo de Frônio, ela
solicitou navio. O pedido foi prontamente atendido.
O sol se pôs. Trevas envolveram os caminhos. A
Deusa confiou a nau ao embalo das ondas. Introduziu
provisões próprias a barcos a remo. Ancorou o navio   390
na extremidade do porto. Lá se reuniram destros
companheiros. A deusa incentivou um por um.
Nova providência brilhou nos olhos de Atena.
Dirigindo-se à casa do excelso Odisseu, envolveu os
pretendentes no doce manto do sono. Esqueceram   395
a bebida. Mãos entorpecidas largavam os copos.
Sonolentos, espalharam-se pela cidade. O peso do
sono nas pálpebras deixou em breve vazios os
assentos. Em seguida, a Atena dos olhos de coruja
chamou Telêmaco para fora da confortável mansão.   400
Tomando a forma do corpo de Mentes, falou:
"Os companheiros já se encontram equipados,

ἥατ' ἐπήρετμοι τὴν σὴν ποτιδέγμενοι ὁρμήν·
ἀλλ' ἴομεν, μὴ δηθὰ διατρίβωμεν ὁδοῖο."
ὣς ἄρα φωνήσασ' ἡγήσατο Παλλὰς Ἀθήνη   405
καρπαλίμως· ὁ δ' ἔπειτα μετ' ἴχνια βαῖνε θεοῖο.
αὐτὰρ ἐπεί ῥ' ἐπὶ νῆα κατήλυθον ἠδὲ θάλασσαν,
εὗρον ἔπειτ' ἐπὶ θινὶ κάρη κομόωντας ἑταίρους.
τοῖσι δὲ καὶ μετέειφ' ἱερὴ ἲς Τηλεμάχοιο·
"δεῦτε, φίλοι, ἤια φερώμεθα· πάντα γὰρ ἤδη   410
ἁθρό' ἐνὶ μεγάρῳ. μήτηρ δ' ἐμὴ οὔ τι πέπυσται,
οὐδ' ἄλλαι δμῳαί, μία δ' οἴη μῦθον ἄκουσεν."
ὣς ἄρα φωνήσας ἡγήσατο, τοὶ δ' ἅμ' ἕποντο.
οἱ δ' ἄρα πάντα φέροντες ἐϋσσέλμῳ ἐπὶ νηῒ
κάτθεσαν, ὡς ἐκέλευσεν Ὀδυσσῆος φίλος υἱός.   415
ἂν δ' ἄρα Τηλέμαχος νηὸς βαῖν', ἦρχε δ' Ἀθήνη,
νηῒ δ' ἐνὶ πρυμνῇ κατ' ἄρ' ἕζετο· ἄγχι δ' ἄρ' αὐτῆς
ἕζετο Τηλέμαχος. τοὶ δὲ πρυμνήσι' ἔλυσαν,
ἂν δὲ καὶ αὐτοὶ βάντες ἐπὶ κληῖσι καθῖζον.
τοῖσιν δ' ἴκμενον οὖρον ἵει γλαυκῶπις Ἀθήνη,   420
ἀκραῆ Ζέφυρον, κελάδοντ' ἐπὶ οἴνοπα πόντον.
Τηλέμαχος δ' ἑτάροισιν ἐποτρύνας ἐκέλευσεν
ὅπλων ἅπτεσθαι· τοὶ δ' ὀτρύνοντος ἄκουσαν.
ἱστὸν δ' εἰλάτινον κοίλης ἔντοσθε μεσόδμης
στῆσαν ἀείραντες, κατὰ δὲ προτόνοισιν ἔδησαν,   425
ἕλκον δ' ἱστία λευκὰ ἐϋστρέπτοισι βοεῦσιν.
ἔπρησεν δ' ἄνεμος μέσον ἱστίον, ἀμφὶ δὲ κῦμα
στείρῃ πορφύρεον μεγάλ' ἴαχε νηὸς ἰούσης·
ἡ δ' ἔθεεν κατὰ κῦμα διαπρήσσουσα κέλευθον.
δησάμενοι δ' ἄρα ὅπλα θοὴν ἀνὰ νῆα μέλαιναν   430
στήσαντο κρητῆρας ἐπιστεφέας οἴνοιο,
λεῖβον δ' ἀθανάτοισι θεοῖς αἰειγενέτῃσιν,
ἐκ πάντων δὲ μάλιστα Διὸς γλαυκώπιδι κούρῃ.
παννυχίη μέν ῥ' ἥ γε καὶ ἠῶ πεῖρε κέλευθον.

a postos. Aguardam-te para iniciar a viagem.
Vamos, não convém retardar a partida." Proferidas
estas palavras, Atena indicou-lhe o caminho. Ele   405
acompanhava os passos da Deusa. Ao alcançarem
a praia e a nau, moviam-se junto às ondas as fartas
cabeleiras que pendiam da cabeça dos companheiros.
Alertou-os a voz e o vigor de Telêmaco: "Sigam-
-me, amigos. Busquemos os suprimentos. Aguardam-   410
-nos prontos na câmara. Não revelei nada a minha
mãe. Minhas escravas, com exceção de uma, não
sabem de nada." Com estas palavras, Telêmaco
tomou a dianteira, os outros o seguiram. Depuseram
a carga no belo convés, obedientes às determinações   415
do filho de Odisseu. Embarcou Telêmaco. Atena
o precedia. Acomodou-se na popa. O filho de
Odisseu assentou-se a seu lado. Os companheiros
soltaram as amarras. A bordo, ocuparam os bancos
dos remeiros. Atena enviou-lhes vento propício.   420
Forte soprou Zéfiro. Uivava no mar de avinhada
cara. Obedientes ao comando, os companheiros de
Telêmaco correram ao equipamento. A ocasião o
pedia. Ergueram o mastro de abeto no centro da nave
e o firmaram nos cabos. Içaram as velas luzentes   425
com fortes correias. Sopro rijo enfunou os panos.
A quilha cortou as ondas que gemiam purpurinas.
O barco traçava em úmidos caminhos a reta rota.
Firmado o equipamento da negra nau, dispuseram
os jarros repletos de vinho para as libações aos   430
eternos deuses de sempre renovadas gerações.
Antes de todos a Zeus, e à sua filha, conhecida
por seus olhos de coruja. O barco, atravessada
a noite, foi saudado pela Aurora no fim do caminho.

ΟΔΥΣΣΕΙΑΣ Γ

Ἥλιος δ' ἀνόρουσε, λιπὼν περικαλλέα λίμνην,
οὐρανὸν ἐς πολύχαλκον, ἵν' ἀθανάτοισι φαείνοι
καὶ θνητοῖσι βροτοῖσιν ἐπὶ ζείδωρον ἄρουραν·
οἱ δὲ Πύλον, Νηλῆος ἐυκτίμενον πτολίεθρον,
ἷξον· τοὶ δ' ἐπὶ θινὶ θαλάσσης ἱερὰ ῥέζον, 05
ταύρους παμμέλανας, ἐνοσίχθονι κυανοχαίτῃ.
ἐννέα δ' ἕδραι ἔσαν, πεντακόσιοι δ' ἐν ἑκάστῃ
ἥατο καὶ προύχοντο ἑκάστοθι ἐννέα ταύρους.
εὖθ' οἱ σπλάγχνα πάσαντο, θεῷ δ' ἐπὶ μηρί' ἔκαιον,
οἱ δ' ἰθὺς κατάγοντο ἰδ' ἱστία νηὸς ἐίσης 10
στεῖλαν ἀείραντες, τὴν δ' ὥρμισαν, ἐκ δ' ἔβαν αὐτοί·
ἐκ δ' ἄρα Τηλέμαχος νηὸς βαῖν', ἦρχε δ' Ἀθήνη.
τὸν προτέρη προσέειπε θεά, γλαυκῶπις Ἀθήνη·
"Τηλέμαχ', οὐ μέν σε χρὴ ἔτ' αἰδοῦς, οὐδ' ἠβαιόν·
τοὔνεκα γὰρ καὶ πόντον ἐπέπλως, ὄφρα πύθηαι 15
πατρός, ὅπου κύθε γαῖα καὶ ὅν τινα πότμον ἐπέσπεν.
ἀλλ' ἄγε νῦν ἰθὺς κίε Νέστορος ἱπποδάμοιο·
εἴδομεν ἥν τινα μῆτιν ἐνὶ στήθεσσι κέκευθε.
λίσσεσθαι δέ μιν αὐτός, ὅπως νημερτέα εἴπῃ·
ψεῦδος δ' οὐκ ἐρέει· μάλα γὰρ πεπνυμένος ἐστί." 20
τὴν δ' αὖ Τηλέμαχος πεπνυμένος ἀντίον ηὔδα·
"Μέντορ, πῶς τ' ἄρ' ἴω; πῶς τ' ἄρ προσπτύξομαι αὐτόν;
οὐδέ τί πω μύθοισι πεπείρημαι πυκινοῖσιν·
αἰδὼς δ' αὖ νέον ἄνδρα γεραίτερον ἐξερέεσθαι."
τὸν δ' αὖτε προσέειπε θεά, γλαυκῶπις Ἀθήνη· 25
"Τηλέμαχ', ἄλλα μὲν αὐτὸς ἐνὶ φρεσὶ σῇσι νοήσεις,
ἄλλα δὲ καὶ δαίμων ὑποθήσεται· οὐ γὰρ ὀίω
οὔ σε θεῶν ἀέκητι γενέσθαι τε τραφέμεν τε."
ὣς ἄρα φωνήσασ' ἡγήσατο Παλλὰς Ἀθήνη
καρπαλίμως· ὁ δ' ἔπειτα μετ' ἴχνια βαῖνε θεοῖο. 30
ἷξον δ' ἐς Πυλίων ἀνδρῶν ἀγυρίν τε καὶ ἕδρας,
ἔνθ' ἄρα Νέστωρ ἧστο σὺν υἱάσιν, ἀμφὶ δ' ἑταῖροι
δαῖτ' ἐντυνόμενοι κρέα τ' ὤπτων ἄλλα τ' ἔπειρον.
οἱ δ' ὡς οὖν ξείνους ἴδον, ἀθρόοι ἦλθον ἅπαντες,

Canto 3

Esplendeu o Sol na imensidão lacustre. Avançou
pelo céu de bronze, tocha para imortais e para
homens perecíveis no solo feraz. Chegaram à
Pilos de Neleu, centro de bela arquitetura, em meio
a sacrifícios celebrados à beira do mar. Imolavam   05
touros negros ao Abala-Terra de escura cabeleira[10].
Nove eram as filas de quinhentos assentos por fila.
Cada uma oferecia nove touros. Consumiam
as entranhas e queimavam os ossos ao deus.
Os nossos aportaram, recolheram as velas,   10
lançaram a âncora, desembarcaram. Precedido por
Atena, Telêmaco deixou o navio. A deusa, fitando-o
com seus olhos de coruja, falou: "Telêmaco,
não há razão para constrangimentos. Atravessaste
o mar, vieste recolher notícias sobre teu pai: em   15
que terra se esconde, que destino o aguarda? Apressa-
-te em abordar Nestor Doma-Potros para conhecer
os conselhos que cultiva no peito. Importa que tu
mesmo lhe rogues orientação segura. Ele não te
enganará. A correção o distingue." Prudentemente   20
respondeu-lhe Telêmaco: "Mentor, não sei como
falar-lhe. Faltam-me palavras. Sou tímido, jovem.
Isso me embaraça. Como abordar um senhor
idoso?" Revolvendo seus olhos de coruja,
respondeu-lhe Atena: "Telêmaco, uma coisa são   25
os cuidados que te agitam a mente, outra, as
sugestões que te virão do alto. Não foste gerado,
nem criado sem favor divino." Palas Atena falou
e tomou pronto a frente. Telêmaco moveu-se no
rastro da deusa. Chegaram à reunião e aos assentos   30
dos cidadãos de Pilos. Lá estava Nestor com seus
filhos e rodeado de amigos ocupados com a refeição.
Uns espetavam a carne, outros a assavam. Acenaram

χερσίν τ' ἠσπάζοντο καὶ ἑδριάασθαι ἄνωγον.   35
πρῶτος Νεστορίδης Πεισίστρατος ἐγγύθεν ἐλθὼν
ἀμφοτέρων ἕλε χεῖρα καὶ ἵδρυσεν παρὰ δαιτὶ
κώεσιν ἐν μαλακοῖσιν ἐπὶ ψαμάθοις ἁλίῃσιν
πάρ τε κασιγνήτῳ Θρασυμήδεϊ καὶ πατέρι ᾧ·
δῶκε δ' ἄρα σπλάγχνων μοίρας, ἐν δ' οἶνον ἔχευεν   40
χρυσείῳ δέπαϊ· δειδισκόμενος δὲ προσηύδα
Παλλάδ' Ἀθηναίην κούρην Διὸς αἰγιόχοιο·
"εὔχεο νῦν, ὦ ξεῖνε, Ποσειδάωνι ἄνακτι·
τοῦ γὰρ καὶ δαίτης ἠντήσατε δεῦρο μολόντες.
αὐτὰρ ἐπὴν σπείσῃς τε καὶ εὔξεαι, ἣ θέμις ἐστί,   45
δὸς καὶ τούτῳ ἔπειτα δέπας μελιηδέος οἴνου
σπεῖσαι, ἐπεὶ καὶ τοῦτον ὀΐομαι ἀθανάτοισιν
εὔχεσθαι· πάντες δὲ θεῶν χατέουσ' ἄνθρωποι.
ἀλλὰ νεώτερός ἐστιν, ὁμηλικίη δ' ἐμοὶ αὐτῷ·
τοὔνεκα σοὶ προτέρῳ δώσω χρύσειον ἄλεισον."   50
ὣς εἰπὼν ἐν χειρὶ τίθει δέπας ἡδέος οἴνου·
χαῖρε δ' Ἀθηναίη πεπνυμένῳ ἀνδρὶ δικαίῳ,
οὕνεκα οἷ προτέρῃ δῶκε χρύσειον ἄλεισον·
αὐτίκα δ' εὔχετο πολλὰ Ποσειδάωνι ἄνακτι·
"κλῦθι, Ποσείδαον γαιήοχε, μηδὲ μεγήρῃς   55
ἡμῖν εὐχομένοισι τελευτῆσαι τάδε ἔργα.
Νέστορι μὲν πρώτιστα καὶ υἱάσι κῦδος ὄπαζε,
αὐτὰρ ἔπειτ' ἄλλοισι δίδου χαρίεσσαν ἀμοιβὴν
σύμπασιν Πυλίοισιν ἀγακλειτῆς ἑκατόμβης.
δὸς δ' ἔτι Τηλέμαχον καὶ ἐμὲ πρήξαντα νέεσθαι,   60
οὕνεκα δεῦρ' ἱκόμεσθα θοῇ σὺν νηὶ μελαίνῃ."
ὣς ἄρ' ἔπειτ' ἠρᾶτο καὶ αὐτὴ πάντα τελεύτα.
δῶκε δὲ Τηλεμάχῳ καλὸν δέπας ἀμφικύπελλον·
ὣς δ' αὕτως ἠρᾶτο Ὀδυσσῆος φίλος υἱός.
οἱ δ' ἐπεὶ ὤπτησαν κρέ' ὑπέρτερα καὶ ἐρύσαντο,   65
μοίρας δασσάμενοι δαίνυντ' ἐρικυδέα δαῖτα.
αὐτὰρ ἐπεὶ πόσιος καὶ ἐδητύος ἐξ ἔρον ἕντο,
τοῖς ἄρα μύθων ἦρχε Γερήνιος ἱππότα Νέστωρ·
"νῦν δὴ κάλλιόν ἐστι μεταλλῆσαι καὶ ἐρέσθαι
ξείνους, οἵ τινές εἰσιν, ἐπεὶ τάρπησαν ἐδωδῆς.   70
ὦ ξεῖνοι, τίνες ἐστέ; πόθεν πλεῖθ' ὑγρὰ κέλευθα;

e convidaram os visitantes a tomar assento. Um dos 35
filhos de Nestor, Pisístrato, aproximou-se. Estendeu
a mão a ambos e indicou-lhes lugares à mesa, peles
de carneiro estendidas sobre a areia marinha, perto
de Trasimides, seu irmão e perto de seu pai. Serviu-
-lhes porções de entranhas, verteu vinho num cálice 40
de ouro. Inclinando-se, saudou Atena, filha do
Porta-Escudo: "Roga, amigo, agora a Posidon,
monarca dos mares, pois em honra a ele celebramos
o banquete de que participais. Feita a libação e a
prece de praxe, passa o cálice de melífluo vinho 45
a teu companheiro. Suponho que também ele
pretenda libar e rogar aos imortais, pois todos
os homens carecem de amparo divino. Por ser
mais jovem, aparenta idade próxima à minha,
ofereci o áureo cálice a ti primeiro." Com estas 50
palavras, depositou o cálice nas mãos da deusa. A
decisão correta do jovem alegrou Atena. Honrada
na cerimoniosa reunião a que foram admitidos,
pôs-se a rogar reverente a Posidon: "Atende-nos,
Posidon Abala-Terra. Aceita nossas súplicas. 55
Permite que se cumpram nossas preces. Antes de
tudo, dispensa honra a Nestor e a seus filhos.
Recompensa também os demais cidadãos de Pilos.
Esta prodigiosa hecatombe é só tua. Concede
a mim e a Telêmaco exitoso regresso, concluída 60
a missão que nos trouxe em negra nau ligeira."
Terminada a súplica, Atena cumpriu o prescrito,
passando a Telêmano o cálice de dupla alça.
O rito prosseguiu com o filho de Odisseu. Os outros,
entrementes, tiraram dos espetos a carne tostada. 65
Divididas as porções, celebraram o preclaro
banquete. Satisfeitas urgências de comer e de beber,
dirigiu-lhes a palavra o venerável cavaleiro Nestor:
"Chegou o momento de conversarmos. Desejaria
conhecer os estrangeiros cuja presença nos honra. 70
Quem sois? Donde partistes por úmidos caminhos?

ἤ τι κατὰ πρῆξιν ἦ μαψιδίως ἀλάλησθε
οἷά τε ληιστῆρες ὑπεὶρ ἅλα, τοί τ' ἀλόωνται
ψυχὰς παρθέμενοι κακὸν ἀλλοδαποῖσι πέροντες;"
τὸν δ' αὖ Τηλέμαχος πεπνυμένος ἀντίον ηὔδα   75
θαρσήσας: αὐτὴ γὰρ ἐνὶ φρεσὶ θάρσος Ἀθήνη
θῆχ', ἵνα μιν περὶ πατρὸς ἀποιχομένοιο ἔροιτο
ἠδ' ἵνα μιν κλέος ἐσθλὸν ἐν ἀνθρώποισιν ἔχῃσιν:
"ὦ Νέστορ Νηληϊάδη, μέγα κῦδος Ἀχαιῶν,
εἴρεαι ὁππόθεν εἰμέν: ἐγὼ δέ κέ τοι καταλέξω.   80
ἡμεῖς ἐξ Ἰθάκης ὑπονηίου εἰλήλουθμεν:
πρῆξις δ' ἥδ' ἰδίη, οὐ δήμιος, ἣν ἀγορεύω.
πατρὸς ἐμοῦ κλέος εὐρὺ μετέρχομαι, ἤν που ἀκούσω,
δίου Ὀδυσσῆος ταλασίφρονος, ὅν ποτέ φασι
σὺν σοὶ μαρνάμενον Τρώων πόλιν ἐξαλαπάξαι.   85
ἄλλους μὲν γὰρ πάντας, ὅσοι Τρωσὶν πολέμιζον,
πευθόμεθ', ἧχι ἕκαστος ἀπώλετο λυγρῷ ὀλέθρῳ,
κείνου δ' αὖ καὶ ὄλεθρον ἀπευθέα θῆκε Κρονίων.
οὐ γάρ τις δύναται σάφα εἰπέμεν ὁππόθ' ὄλωλεν,
εἴθ' ὅ γ' ἐπ' ἠπείρου δάμη ἀνδράσι δυσμενέεσσιν,   90
εἴτε καὶ ἐν πελάγει μετὰ κύμασιν Ἀμφιτρίτης.
τοὔνεκα νῦν τὰ σὰ γούναθ' ἱκάνομαι, αἴ κ' ἐθέλῃσθα
κείνου λυγρὸν ὄλεθρον ἐνισπεῖν, εἴ που ὄπωπας
ὀφθαλμοῖσι τεοῖσιν ἢ ἄλλου μῦθον ἄκουσας
πλαζομένου: πέρι γάρ μιν ὀιζυρὸν τέκε μήτηρ.   95
μηδέ τί μ' αἰδόμενος μειλίσσεο μηδ' ἐλεαίρων,
ἀλλ' εὖ μοι κατάλεξον ὅπως ἤντησας ὀπωπῆς.
λίσσομαι, εἴ ποτέ τοί τι πατὴρ ἐμός, ἐσθλὸς Ὀδυσσεύς,
ἢ ἔπος ἠέ τι ἔργον ὑποστὰς ἐξετέλεσσε
δήμῳ ἔνι Τρώων, ὅθι πάσχετε πήματ' Ἀχαιοί,   100
τῶν νῦν μοι μνῆσαι, καί μοι νημερτὲς ἐνίσπες.
τὸν δ' ἠμείβετ' ἔπειτα Γερήνιος ἱππότα Νέστωρ:
"ὦ φίλ', ἐπεί μ' ἔμνησας ὀιζύος, ἥν ἐν ἐκείνῳ
δήμῳ ἀνέτλημεν μένος ἄσχετοι υἷες Ἀχαιῶν,
ἠμὲν ὅσα ξὺν νηυσίν ἐπ' ἠεροειδέα πόντον   105
πλαζόμενοι κατὰ ληίδ', ὅπῃ ἄρξειεν Ἀχιλλεύς,
ἠδ' ὅσα καὶ περὶ ἄστυ μέγα Πριάμοιο ἄνακτος
μαρνάμεθ': ἔνθα δ' ἔπειτα κατέκταθεν ὅσσοι ἄριστοι.

Viestes a negócio ou vagais por águas salgadas
como piratas que para ruína alheia arriscam a vida?"
Respondeu-lhe o comedido Telêmaco, intrépido.   75
Atena lhe infundira intrepidez. Cabia-lhe obter
notícias sobre pai e informações sobre o renome
que de Odisseu brilhava entre as gentes: "Caro
Nestor, soberbo orgulho dos aqueus, perguntas-me
donde venho. Viemos de Ítaca, ilha em que se ergue   80
o monte Neio. Nosso interesse, como verás,
é privado, e não público. Quero saber dos difundidos
feitos de meu divino pai, o esforçado Odisseu.
Consta que lutou em tua companhia para arrasar a
cidade de Troia. Dos outros heróis que participaram   85
da campanha estamos bem instruídos.
Conhecemos o triste fim de muitos. O Cronida
negou-nos, entretanto, notícias dele. Ninguém nos
sabe dizer com certeza como findou, se pereceu
em terra acossado por adversários desvairados,   90
ou se desapareceu no mar, coberto pelas ondas de
Anfitrite[11]. Rogo-te abraçado a teus joelhos. Fala-me
de sua lutuosa ruína. Testemunhaste-a com teus
próprios olhos? Sabes de outrem se ainda navega
errante? Nasceu de mãe que o gerou para a dor?   95
Não te peço que me afagues com palavras de mel.
Fala-me franco o que tu mesmo viveste. Imploro.
És, quem sabe, portador de algum desejo do nobre
Odisseu, uma palavra ou um gesto que te tenha
deixado lá na terra troiana, onde tanto padecestes.   100
Não me ocultes nada. Não quero ser enganado." Não
tardou em responder-lhe Nestor, o Gerênio:
"Caríssimo, reavivas dificuldades enfrentadas por
nós, aqueus, imbatíveis em ações contra aquela
fortaleza. Nossas dores começaram no mar sombrio   105
quando, conduzidos por Aquiles, navegávamos
sedentos de saques. A luta não foi menos tenaz
no cerco ao baluarte de rei Príamo. Perdemos

ἔνθα μὲν Αἴας κεῖται ἀρήιος, ἔνθα δ' Ἀχιλλεύς,
ἔνθα δὲ Πάτροκλος, θεόφιν μήστωρ ἀτάλαντος,   110
ἔνθα δ' ἐμὸς φίλος υἱός, ἅμα κρατερὸς καὶ ἀμύμων,
Ἀντίλοχος, πέρι μὲν θείειν ταχὺς ἠδὲ μαχητής:
ἄλλα τε πόλλ' ἐπὶ τοῖς πάθομεν κακά: τίς κεν ἐκεῖνα
πάντα γε μυθήσαιτο καταθνητῶν ἀνθρώπων;
οὐδ' εἰ πεντάετές γε καὶ ἑξάετες παραμίμνων   115
ἐξερέοις ὅσα κεῖθι πάθον κακὰ δῖοι Ἀχαιοί:
πρίν κεν ἀνιηθεὶς σὴν πατρίδα γαῖαν ἵκοιο.
εἰνάετες γάρ σφιν κακὰ ῥάπτομεν ἀμφιέποντες
παντοίοισι δόλοισι, μόγις δ' ἐτέλεσσε Κρονίων.
ἔνθ' οὔ τίς ποτε μῆτιν ὁμοιωθήμεναι ἄντην   120
ἤθελ', ἐπεὶ μάλα πολλὸν ἐνίκα δῖος Ὀδυσσεὺς
παντοίοισι δόλοισι, πατὴρ τεός, εἰ ἐτεόν γε
κείνου ἔκγονός ἐσσι: σέβας μ' ἔχει εἰσορόωντα.
ἦ τοι γὰρ μῦθοί γε ἐοικότες, οὐδέ κε φαίης
ἄνδρα νεώτερον ὧδε ἐοικότα μυθήσασθαι.   125
ἔνθ' ἦ τοι ἧος μὲν ἐγὼ καὶ δῖος Ὀδυσσεὺς
οὔτε ποτ' εἰν ἀγορῇ δίχ' ἐβάζομεν οὔτ' ἐνὶ βουλῇ,
ἀλλ' ἕνα θυμὸν ἔχοντε νόῳ καὶ ἐπίφρονι βουλῇ
φραζόμεθ' Ἀργείοισιν ὅπως ὄχ' ἄριστα γένοιτο.
αὐτὰρ ἐπεὶ Πριάμοιο πόλιν διεπέρσαμεν αἰπήν,   130
βῆμεν δ' ἐν νήεσσι, θεὸς δ' ἐσκέδασσεν Ἀχαιούς,
καὶ τότε δὴ Ζεὺς λυγρὸν ἐνὶ φρεσὶ μήδετο νόστον
Ἀργείοις, ἐπεὶ οὔ τι νοήμονες οὐδὲ δίκαιοι
πάντες ἔσαν: τῶ σφεων πολέες κακὸν οἶτον ἐπέσπον
μήνιος ἐξ ὀλοῆς γλαυκώπιδος ὀβριμοπάτρης.   135
ἥ τ' ἔριν Ἀτρεΐδῃσι μετ' ἀμφοτέροισιν ἔθηκε.
τὼ δὲ καλεσσαμένω ἀγορὴν ἐς πάντας Ἀχαιούς,
μάψ, ἀτὰρ οὐ κατὰ κόσμον, ἐς ἠέλιον καταδύντα,
οἱ ἦλθον οἴνῳ βεβαρηότες υἷες Ἀχαιῶν,
μῦθον μυθείσθην, τοῦ εἵνεκα λαὸν ἄγειραν.   140
ἔνθ' ἦ τοι Μενέλαος ἀνώγει πάντας Ἀχαιοὺς
νόστου μιμνήσκεσθαι ἐπ' εὐρέα νῶτα θαλάσσης,
οὐδ' Ἀγαμέμνονι πάμπαν ἑήνδανε: βούλετο γάρ ῥα
λαὸν ἐρυκακέειν ῥέξαι θ' ἱερὰς ἑκατόμβας,
ὡς τὸν Ἀθηναίης δεινὸν χόλον ἐξακέσαιτο,   145

companheiros ilustres. Lá ficaram o bravo Ajax,
lá ficou o próprio Aquiles, lá ficou Pátroclo, um 110
deus em conselhos, lá ficou um filho querido
meu, forte, destemido, Arquíloco, corredor veloz,
batalhador. Dissabores se amontoaram. Que voz
perecível saberia narrá-los todos? Ainda que
resolvesses permanecer por cinco ou seis anos, 115
não conhecerias todas as privações dos aqueus.
Exausto retornarias à terra em que nasceste.
Por nove anos, trabalhos lhes demos com muitas
insídias. O Cronida a custo decretou o fim de tantas
lidas. Em sagacidade nunca ninguém igualou teu 120
pai. Não havia ardil em que não levasse os louros
da vitória. Assim foi ele. Não estás certo de ser filho
dele? A semelhança me espanta. Falas com rigor.
Não penses que alguém de tua idade se exprima
com tanta propriedade. Enquanto estivemos juntos, 125
o divino Odisseu e eu jamais divergimos, seja
no conselho, seja na assembleia. Falávamos aos
aqueus com os mesmos sentimentos, os mesmos
propósitos, para o bem de todos. Quando, enfim,
saqueamos a cidade de Príamo e retornamos às naus, 130
um deus resolveu dispersar-nos. Estava nos planos
de Zeus amargar-nos o retorno. Na verdade, nem
todos se tinham mostrado ajuizados e justos.
Muitos levaram pesada pena, vinda da indignada
deusa dos olhos de coruja, a filha do Forte Pai. 135
Quem atiçou a contenda entre os Átridas foi ela.
Estes, sem razão e contra a ordem, resolveram
convocar uma assembleia ao declinar o sol. Os
aqueus acudiram cambaleantes, tontos de vinho.
Os chefes expuseram então o motivo do apelo. 140
Enquanto Menelau lembrava todos da imperiosa
necessidade de singrar já as ondas do mar,
Agamênon expressou outro parecer. Pelo conselho
dele, deviam esperar, preparar sacras hecatombes
para aplacar, sem resquícios, a temível cólera de 145

νήπιος, οὐδὲ τὸ ᾔδη, ὅ οὐ πείσεσθαι ἔμελλεν·
οὐ γάρ τ' αἶψα θεῶν τρέπεται νόος αἰὲν ἐόντων.
ὣς τὼ μὲν χαλεποῖσιν ἀμειβομένω ἐπέεσσιν
ἕστασαν· οἱ δ' ἀνόρουσαν ἐϋκνήμιδες Ἀχαιοὶ
ἠχῇ θεσπεσίῃ, δίχα δέ σφισιν ἥνδανε βουλή.   150
νύκτα μὲν ἀέσαμεν χαλεπὰ φρεσὶν ὁρμαίνοντες
ἀλλήλοις· ἐπὶ γὰρ Ζεὺς ἤρτυε πῆμα κακοῖο·
ἠῶθεν δ' οἱ μὲν νέας ἕλκομεν εἰς ἅλα δῖαν
κτήματά τ' ἐντιθέμεσθα βαθυζώνους τε γυναῖκας.
ἡμίσεες δ' ἄρα λαοὶ ἐρητύοντο μένοντες   155
αὖθι παρ' Ἀτρεΐδῃ Ἀγαμέμνονι, ποιμένι λαῶν·
ἡμίσεες δ' ἀναβάντες ἐλαύνομεν· αἱ δὲ μάλ' ὦκα
ἔπλεον, ἐστόρεσεν δὲ θεὸς μεγακήτεα πόντον.
ἐς Τένεδον δ' ἐλθόντες ἐρέξαμεν ἱρὰ θεοῖσιν,
οἴκαδε ἱέμενοι· Ζεὺς δ' οὔ πω μήδετο νόστον,   160
σχέτλιος, ὅς ῥ' ἔριν ὦρσε κακὴν ἔπι δεύτερον αὖτις.
οἱ μὲν ἀποστρέψαντες ἔβαν νέας ἀμφιελίσσας
ἀμφ' Ὀδυσῆα ἄνακτα δαΐφρονα, ποικιλομήτην,
αὖτις ἐπ' Ἀτρεΐδῃ Ἀγαμέμνονι ἦρα φέροντες·
αὐτὰρ ἐγὼ σὺν νηυσὶν ἀολλέσιν, αἵ μοι ἕποντο,   165
φεῦγον, ἐπεὶ γίγνωσκον, ὃ δὴ κακὰ μήδετο δαίμων.
φεῦγε δὲ Τυδέος υἱὸς ἀρήιος, ὦρσε δ' ἑταίρους.
ὀψὲ δὲ δὴ μετὰ νῶϊ κίε ξανθὸς Μενέλαος,
ἐν Λέσβῳ δ' ἔκιχεν δολιχὸν πλόον ὁρμαίνοντας,
ἢ καθύπερθε Χίοιο νεοίμεθα παιπαλοέσσης,   170
νήσου ἔπι Ψυρίης, αὐτὴν ἐπ' ἀριστέρ' ἔχοντες,
ἦ ὑπένερθε Χίοιο, παρ' ἠνεμόεντα Μίμαντα.
ᾐτέομεν δὲ θεὸν φῆναι τέρας· αὐτὰρ ὅ γ' ἡμῖν
δεῖξε, καὶ ἠνώγει πέλαγος μέσον εἰς Εὔβοιαν
τέμνειν, ὄφρα τάχιστα ὑπὲκ κακότητα φύγοιμεν.   175
ὦρτο δ' ἐπὶ λιγὺς οὖρος ἀήμεναι· αἱ δὲ μάλ' ὦκα
ἰχθυόεντα κέλευθα διέδραμον, ἐς δὲ Γεραιστὸν
ἐννύχιαι κατάγοντο· Ποσειδάωνι δὲ ταύρων
πόλλ' ἐπὶ μῆρ' ἔθεμεν, πέλαγος μέγα μετρήσαντες.
τέτρατον ἦμαρ ἔην, ὅτ' ἐν Ἄργεϊ νῆας ἐΐσας   180
Τυδεΐδεω ἕταροι Διομήδεος ἱπποδάμοιο
ἵστασαν· αὐτὰρ ἐγώ γε Πύλονδ' ἔχον, οὐδέ ποτ' ἔσβη

Atena. Tolo! Ignorou que satisfazê-la não é fácil.
Não se alteram, sem mais, decisões dos eternos.
Os dois trocavam, de pé, palavras ferinas.
Provocaram proceloso tumulto entre os grevados
combatentes. As inclinações se dividiram. Passamos 150
a noite revolvendo planos, amargos para uns e
outros. Zeus urdia punir o mal. Manhãzinha,
uns de nós arrastamos barcos às ondas divinas,
embarcamos butins e acinturadas madamas,
a outra metade dos nossos resolveu ficar com 155
Agamênon, pastor de povos. Os que tínhamos
embarcado não retardamos a partida. Os céus nos
atapetaram a rota no mar. Ao chegarmos a Tênedo,
esmeramo-nos em sacrifícios aos deuses, desejosos
de rever o lar. O regresso não frequentava a mente 160
de Zeus. Fomentou nova contenda funesta. Uma
parte resolveu acionar o duplo renque de remos
para retornar, liderados pelo inventivo Odisseu, o
engenhoso. A preferência atraía a Agamênon.
Mas eu e meus navios fugimos prevendo funestas 165
maquinações divinas. Fugiu o filho de Tideu,
persuadindo os companheiros. A nau do louro
Menelau veio mais tarde. Alcançou-nos em
Lesbos, deliberando sobre o longo caminho.
Tomaríamos ao norte a rota da escarpada Quio 170
em direção a Psíria, deixando-a à esquerda, ou
escolheríamos ao sul de Quios as águas que banham
o tempestuoso Mimas. Rogamos sinal dos céus.
Fomos atendidos. Deveríamos cortar as ondas rumo
a Euboia para escapar de calamidades. Zuniam os 175
ventos. Nossos barcos atravessaram velozes
águas piscosas. Noite feita, alcançamos Gueresto.
Na oferta de quartos assados a Posidon, fomos
generosos. Festejamos a travessia triunfal. Ao raiar
do quarto dia, a gente do domador Diomedes 180
entrou no porto de Argos com naus escorreitas.
Servindo-me do vento, dom gracioso do alto,

οὖρος, ἐπεὶ δὴ πρῶτα θεὸς προέηκεν ἀῆναι.
"ὣς ἦλθον, φίλε τέκνον, ἀπευθής, οὐδέ τι οἶδα
κείνων, οἵ τ' ἐσάωθεν Ἀχαιῶν οἵ τ' ἀπόλοντο.   185
ὅσσα δ' ἐνὶ μεγάροισι καθήμενος ἡμετέροισι
πεύθομαι, ἣ θέμις ἐστί, δαήσεαι, κοὐδέ σε δεύσω.
εὖ μὲν Μυρμιδόνας φάσ' ἐλθέμεν ἐγχεσιμώρους,
οὓς ἄγ' Ἀχιλλῆος μεγαθύμου φαίδιμος υἱός,
εὖ δὲ Φιλοκτήτην, Ποιάντιον ἀγλαὸν υἱόν.   190
πάντας δ' Ἰδομενεὺς Κρήτην εἰσήγαγ' ἑταίρους,
οἳ φύγον ἐκ πολέμου, πόντος δέ οἱ οὔ τιν' ἀπηύρα.
Ἀτρείδην δὲ καὶ αὐτοὶ ἀκούετε, νόσφιν ἐόντες,
ὥς τ' ἦλθ', ὥς τ' Αἴγισθος ἐμήσατο λυγρὸν ὄλεθρον.
ἀλλ' ἦ τοι κεῖνος μὲν ἐπισμυγερῶς ἀπέτισεν·   195
ὡς ἀγαθὸν καὶ παῖδα καταφθιμένοιο λιπέσθαι
ἀνδρός, ἐπεὶ καὶ κεῖνος ἐτίσατο πατροφονῆα,
Αἴγισθον δολόμητιν, ὅ οἱ πατέρα κλυτὸν ἔκτα.
καὶ σὺ φίλος, μάλα γάρ σ' ὁρόω καλόν τε μέγαν τε,
ἄλκιμος ἔσσ', ἵνα τίς σε καὶ ὀψιγόνων ἐῢ εἴπῃ."   200
τὸν δ' αὖ Τηλέμαχος πεπνυμένος ἀντίον ηὔδα·
"ὦ Νέστορ Νηληϊάδη, μέγα κῦδος Ἀχαιῶν,
καὶ λίην κεῖνος μὲν ἐτίσατο, καί οἱ Ἀχαιοὶ
οἴσουσι κλέος εὐρὺ καὶ ἐσσομένοισι πυθέσθαι·
αἲ γὰρ ἐμοὶ τοσσήνδε θεοὶ δύναμιν περιθεῖεν,   205
τίσασθαι μνηστῆρας ὑπερβασίης ἀλεγεινῆς,
οἵ τέ μοι ὑβρίζοντες ἀτάσθαλα μηχανόωνται.
ἀλλ' οὔ μοι τοιοῦτον ἐπέκλωσαν θεοὶ ὄλβον,
πατρί τ' ἐμῷ καὶ ἐμοί· νῦν δὲ χρὴ τετλάμεν ἔμπης."
τὸν δ' ἠμείβετ' ἔπειτα Γερήνιος ἱππότα Νέστωρ·   210
"ὦ φίλ', ἐπεὶ δὴ ταῦτά μ' ἀνέμνησας καὶ ἔειπες,
φασὶ μνηστῆρας σῆς μητέρος εἵνεκα πολλοὺς
ἐν μεγάροις ἀέκητι σέθεν κακὰ μηχανάασθαι·
εἰπέ μοι, ἠὲ ἑκὼν ὑποδάμνασαι, ἦ σέ γε λαοὶ
ἐχθαίρουσ' ἀνὰ δῆμον, ἐπισπόμενοι θεοῦ ὀμφῇ.   215
τίς δ' οἶδ' εἴ κέ ποτέ σφι βίας ἀποτίσεται ἐλθών,
ἢ ὅ γε μοῦνος ἐὼν ἢ καὶ σύμπαντες Ἀχαιοί;
εἰ γάρ σ' ὣς ἐθέλοι φιλέειν γλαυκῶπις Ἀθήνη,
ὡς τότ' Ὀδυσσῆος περικήδετο κυδαλίμοιο

enveredei para Pilos. Desde que aqui cheguei,
caro jovem, estou sem notícias. Nada sei deles.
Sobreviveram? Pereceram? Ignoro. O que ouvi   185
desde que retomei a direção do meu palácio,
saberás. É teu direito. Não esconderei nada. Os
mirmidões, célebres lanceiros, dirigidos pelo
filho de Aquiles, retornaram bem. Diga-se o
mesmo de Filoctetes, filho de Peante. Idomeneu   190
trouxe a Creta os que sobreviveram na guerra.
O mar não lhe roubou nenhum. Mesmo distantes,
deveis ter ouvido sobre o Átrida, a morte inglória
que, ao regressar, lhe preparou Egisto. Pesada
foi a pena que o crime lhe acarretou. O filho que 195
um herói assassinado deixa representa um bem.
A espada deste abateu o assassino, o fraudulento
Egisto, que ousou macular um homem ilustre.
E tu, meu jovem, vejo-te belo, desenvolvido
e forte. Que teus feitos orgulhem teus filhos."   200
Com inteligência retrucou-lhe Telêmaco: "Nestor,
filho de Neleu, incomparável glória dos aqueus,
de fato, o que aquele perpetrou merece destaque,
os aqueus saberão preservar seu feito em versos.
Que os deuses me concedam vigor igual para que   205
não fique impune a ferina insolência
dos pretendentes que maquinam minha ruína!
Mas sorte igual os deuses não destinaram a meu
pai nem a mim. Tolerar, que mais me resta?"
Interveio Nestor, o Gerênio, o domador de potros: 210
"Bem lembrado, caro amigo. Avivas em mim o
que já me contaram. Soube que pretendentes
perversos te afrontam aos magotes em teu palácio.
Conta-me: suportas a afronta passivo? Persegue-te
a malquerença de pessoas do povo, por advertência 215
divina? O regresso dele, só ou aliado a outros, para
punir a agressividade deles não está excluído. Que
te acompanhe o favor da deusa dos olhos brilhantes,
Atena, como esteve com o renomado Odisseu quando

δήμῳ ἔνι Τρώων, ὅθι πάσχομεν ἄλγε' Ἀχαιοί-- 220
οὐ γάρ πω ἴδον ὧδε θεοὺς ἀναφανδὰ φιλεῦντας,
ὡς κείνῳ ἀναφανδὰ παρίστατο Παλλὰς Ἀθήνη--
εἴ σ' οὕτως ἐθέλοι φιλέειν κήδοιτό τε θυμῷ,
τῶ κέν τις κείνων γε καὶ ἐκλελάθοιτο γάμοιο."
τὸν δ' αὖ Τηλέμαχος πεπνυμένος ἀντίον ηὔδα· 225
"ὦ γέρον, οὔ πω τοῦτο ἔπος τελέεσθαι ὀΐω·
λίην γὰρ μέγα εἶπες· ἄγη μ' ἔχει. οὐκ ἂν ἐμοί γε
ἐλπομένῳ τὰ γένοιτ', οὐδ' εἰ θεοὶ ὣς ἐθέλοιεν."
τὸν δ' αὖτε προσέειπε θεά, γλαυκῶπις Ἀθήνη·
"Τηλέμαχε, ποῖόν σε ἔπος φύγεν ἕρκος ὀδόντων. 230
ῥεῖα θεός γ' ἐθέλων καὶ τηλόθεν ἄνδρα σαώσαι.
βουλοίμην δ' ἂν ἐγώ γε καὶ ἄλγεα πολλὰ μογήσας
οἴκαδέ τ' ἐλθέμεναι καὶ νόστιμον ἦμαρ ἰδέσθαι,
ἢ ἐλθὼν ἀπολέσθαι ἐφέστιος, ὡς Ἀγαμέμνων
ὤλεθ' ὑπ' Αἰγίσθοιο δόλῳ καὶ ἧς ἀλόχοιο. 235
ἀλλ' ἦ τοι θάνατον μὲν ὁμοίιον οὐδὲ θεοί περ
καὶ φίλῳ ἀνδρὶ δύνανται ἀλαλκέμεν, ὁππότε κεν δὴ
μοῖρ' ὀλοὴ καθέλῃσι τανηλεγέος θανάτοιο."
τὴν δ' αὖ Τηλέμαχος πεπνυμένος ἀντίον ηὔδα·
"Μέντορ, μηκέτι ταῦτα λεγώμεθα κηδόμενοί περ· 240
κείνῳ δ' οὐκέτι νόστος ἐτήτυμος, ἀλλά οἱ ἤδη
φράσσαντ' ἀθάνατοι θάνατον καὶ κῆρα μέλαιναν.
νῦν δ' ἐθέλω ἔπος ἄλλο μεταλλῆσαι καὶ ἐρέσθαι
Νέστορ', ἐπεὶ περὶ οἶδε δίκας ἠδὲ φρόνιν ἄλλων·
τρὶς γὰρ δή μίν φασιν ἀνάξασθαι γένε' ἀνδρῶν· 245
ὥς τέ μοι ἀθάνατος ἰνδάλλεται εἰσοράασθαι.
ὦ Νέστορ Νηληϊάδη, σὺ δ' ἀληθὲς ἐνίσπες·
πῶς ἔθαν' Ἀτρεΐδης εὐρὺ κρείων Ἀγαμέμνων;
ποῦ Μενέλαος ἔην; τίνα δ' αὐτῷ μήσατ' ὄλεθρον
Αἴγισθος δολόμητις, ἐπεὶ κτάνε πολλὸν ἀρείω; 250
ἦ οὐκ Ἄργεος ἦεν Ἀχαιικοῦ, ἀλλά πη ἄλλῃ
πλάζετ' ἐπ' ἀνθρώπους, ὁ δὲ θαρσήσας κατέπεφνε;"
τὸν δ' ἠμείβετ' ἔπειτα Γερήνιος ἱππότα Νέστωρ·
"τοιγὰρ ἐγώ τοι, τέκνον, ἀληθέα πάντ' ἀγορεύσω.
ἦ τοι μὲν τάδε καὐτὸς ὀίεαι, ὥς κεν ἐτύχθη, 255
εἰ ζωόν γ' Αἴγισθον ἐνὶ μεγάροισιν ἔτετμεν

tantas amarguras nos molestaram no povo de Troia. 220
Nunca jamais vi alguém dos deuses manifestar afeto
tão declarado como o fez a teu pai Palas Atena. Se ela,
de coração, te revelar afeto igual, podes estar certo
de que os pretendentes jamais desejarão recordar
pretensões." Ponderada soou a resposta de Telêmaco: 225
"Venerável, não penso que um dia se cumprirá o que
dizes. Aventas o impensável. Deixaste-me atônito. Eu
não poderia esperar tanto nem se contasse com ajuda
celeste." Advertiu-lhe a Atena dos olhos brilhantes:
"Telêmaco, notaste a palavra que te fugiu da cerca dos 230
dentes? Não poderá ser difícil a um deus salvar um
homem distante. Sabes o que eu mais desejaria, tendo
passado por toda sorte de privações? Chegar em casa,
contemplar o dia do meu regresso. Sofrer ao retornar
o que sofreu Agamênon, assassinado por Egisto e 235
traído pela mulher? Nem pensar... Verdade é que a
morte, comum a todos, nem os deuses poderiam afastá-
-la de prediletos. A Moira implacável não poupa
ninguém." Prudente foi a resposta de Telêmaco:
"Mentor, por que falar nisso por mais que nos aflija? 240
Para esse, é certo, jamais haverá regresso. Pois os
imortais lhe dispensaram negra morte e má sorte.
Outro esclarecimento rogo agora a Nestor, em atos
justos e saber o mais eminente de todos. Ele é rei,
ao que me consta, já por três gerações, vejo em seu 245
rosto a imagem de um imortal. Filho de Neleu, não
me negues a palavra da verdade. Como morreu
Agamênon, senhor de reino imenso? E Menelau,
onde estava? A que truques recorreu Egisto para
assassinar um homem que valia mil vezes mais? 250
Andava, por ventura, longe de Argos, visitava
povos distantes, valeu-se disso o celerado?"
Respondeu-lhe Nestor, senhor de soberbos
corcéis: "Saberás a verdade inteira. Fácil te será
visualizar como tudo ocorreu. Se Menelau, ao 255
voltar de Troia, tivesse apanhado o facínora para

Ἀτρεΐδης Τροίηθεν ἰών, ξανθὸς Μενέλαος:
τῷ κέ οἱ οὐδὲ θανόντι χυτὴν ἐπὶ γαῖαν ἔχευαν,
ἀλλ' ἄρα τόν γε κύνες τε καὶ οἰωνοὶ κατέδαψαν
κείμενον ἐν πεδίῳ ἑκὰς ἄστεος, οὐδέ κέ τίς μιν   260
κλαῦσεν Ἀχαιιάδων: μάλα γὰρ μέγα μήσατο ἔργον.
ἡμεῖς μὲν γὰρ κεῖθι πολέας τελέοντες ἀέθλους
ἥμεθ': ὁ δ' εὔκηλος μυχῷ Ἄργεος ἱπποβότοιο
πόλλ' Ἀγαμεμνονέην ἄλοχον θέλγεσκ' ἐπέεσσιν.
ἡ δ' ἦ τοι τὸ πρὶν μὲν ἀναίνετο ἔργον ἀεικὲς   265
δῖα Κλυταιμνήστρη: φρεσὶ γὰρ κέχρητ' ἀγαθῇσι:
πὰρ δ' ἄρ' ἔην καὶ ἀοιδὸς ἀνήρ, ᾧ πόλλ' ἐπέτελλεν
Ἀτρεΐδης Τροίηνδε κιὼν ἔρυσασθαι ἄκοιτιν.
ἀλλ' ὅτε δή μιν μοῖρα θεῶν ἐπέδησε δαμῆναι,
δὴ τότε τὸν μὲν ἀοιδὸν ἄγων ἐς νῆσον ἐρήμην   270
κάλλιπεν οἰωνοῖσιν ἕλωρ καὶ κύρμα γενέσθαι,
τὴν δ' ἐθέλων ἐθέλουσαν ἀνήγαγεν ὅνδε δόμονδε.
πολλὰ δὲ μηρί' ἔκηε θεῶν ἱεροῖς ἐπὶ βωμοῖς,
πολλὰ δ' ἀγάλματ' ἀνῆψεν, ὑφάσματά τε χρυσόν τε,
ἐκτελέσας μέγα ἔργον, ὃ οὔ ποτε ἔλπετο θυμῷ.   275
"ἡμεῖς μὲν γὰρ ἅμα πλέομεν Τροίηθεν ἰόντες,
Ἀτρεΐδης καὶ ἐγώ, φίλα εἰδότες ἀλλήλοισιν:
ἀλλ' ὅτε Σούνιον ἱρὸν ἀφικόμεθ', ἄκρον Ἀθηνέων,
ἔνθα κυβερνήτην Μενελάου Φοῖβος Ἀπόλλων
οἷς ἀγανοῖς βελέεσσιν ἐποιχόμενος κατέπεφνε,   280
πηδάλιον μετὰ χερσὶ θεούσης νηὸς ἔχοντα,
Φρόντιν Ὀνητορίδην, ὃς ἐκαίνυτο φῦλ' ἀνθρώπων
νῆα κυβερνῆσαι, ὁπότε σπέρχοιεν ἄελλαι.
ὣς ὁ μὲν ἔνθα κατέσχετ', ἐπειγόμενός περ ὁδοῖο,
ὄφρ' ἕταρον θάπτοι καὶ ἐπὶ κτέρεα κτερίσειεν.   285
ἀλλ' ὅτε δὴ καὶ κεῖνος ἰὼν ἐπὶ οἴνοπα πόντον
ἐν νηυσὶ γλαφυρῇσι Μαλειάων ὄρος αἰπὺ
ἷξε θέων, τότε δὴ στυγερὴν ὁδὸν εὐρύοπα Ζεὺς
ἐφράσατο, λιγέων δ' ἀνέμων ἐπ' αὐτμένα χεῦε,
κύματά τε τροφέοντο πελώρια, ἶσα ὄρεσσιν.   290
ἔνθα διατμήξας τὰς μὲν Κρήτῃ ἐπέλασσεν,
ἧχι Κύδωνες ἔναιον Ἰαρδάνου ἀμφὶ ῥέεθρα.
ἔστι δέ τις λισσὴ αἰπεῖά τε εἰς ἅλα πέτρη

trancafiá-lo na espelunca, o desgraçado teria batido
as botas. Ninguém teria ousado cobrir de pó
o cadáver, cachorros e aves o teriam dilacerado,
exposto, longe das muralhas em região deserta, 260
lágrima de mulher alguma lhe teria molhado a cara,
monstro de má mente. Enquanto nós sangrávamos
em duras refregas, o folgazão assediava com doces
palavras, no coração da hípica Argos, a esposa de
Agamênon. Esta, no princípio, se opôs à vergonhosa 265
proposta, a divina Clitemnestra, renomada por
nobres sentimentos. Fazia-lhe companhia um vate,
encarregado de protegê-la, enquanto Agamênon, o
esposo, estivesse em Troia. Domada, porém, pela
Sorte celeste, o comparsa o arrastou a uma ilha deserta 270
e o largou como pasto aos abutres. Assim o desejoso
carregou a desejosa para sua própria casa. Inúmeras
coxas assou, então, em sacrossantos altares
divinos. Inúmeras oferendas celebrou, panos e ouro
ofereceu, concluída a enorme façanha, inesperada. 275
Nós retornamos, porém, juntos de Troia, Menelau
e eu, unidos por laços fraternos. Mas quando
singramos as águas do Súnio, no promontório
ateniense, Febo Apolo tirou a vida do piloto de
Menelau, atingindo-o com doces dardos, quando 280
ainda governava pujante o leme da nave, Frôntis,
filho de Onetor, que batia todos no governo da
nau, até no embate da fúria dos ventos. Aí Menelau
foi detido, mesmo premido pela ânsia da volta,
para dar sepultura ao companheiro e honrá-lo com 285
fúnebres ritos. Mas este, ao vir pelo pélago,
céleres as naus o levaram ao íngreme monte
Meleia. Apresta-lhe, então, o Tonante tormentosos
caminhos. Estrugem estrídulos ventos. O mar
amontoa líquidos montes, curvados como dorsos 290
de monstros. Naves dispersas batem em Creta, no
sítio dos cídones, às margens do Járdano. Lá se
precipita lisa rocha nas ondas salgadas, nos confins

ἐσχατιῇ Γόρτυνος ἐν ἠεροειδέι πόντῳ:
ἔνθα Νότος μέγα κῦμα ποτὶ σκαιὸν ῥίον ὠθεῖ, 295
ἐς Φαιστόν, μικρὸς δὲ λίθος μέγα κῦμ' ἀποέργει.
αἱ μὲν ἄρ' ἔνθ' ἦλθον, σπουδῇ δ' ἤλυξαν ὄλεθρον
ἄνδρες, ἀτὰρ νῆάς γε ποτὶ σπιλάδεσσιν ἔαξαν
κύματ': ἀτὰρ τὰς πέντε νέας κυανοπρωρείους
Αἰγύπτῳ ἐπέλασσε φέρων ἄνεμός τε καὶ ὕδωρ. 300
ὣς ὁ μὲν ἔνθα πολὺν βίοτον καὶ χρυσὸν ἀγείρων
ἠλᾶτο ξὺν νηυσὶ κατ' ἀλλοθρόους ἀνθρώπους:
τόφρα δὲ ταῦτ' Αἴγισθος ἐμήσατο οἴκοθι λυγρά.
ἑπτάετες δ' ἤνασσε πολυχρύσοιο Μυκήνης,
κτείνας Ἀτρεΐδην, δέδμητο δὲ λαὸς ὑπ' αὐτῷ. 305
τῷ δέ οἱ ὀγδοάτῳ κακὸν ἤλυθε δῖος Ὀρέστης
ἂψ ἀπ' Ἀθηνάων, κατὰ δ' ἔκτανε πατροφονῆα,
Αἴγισθον δολόμητιν, ὅ οἱ πατέρα κλυτὸν ἔκτα.
ἦ τοι ὁ τὸν κτείνας δαίνυ τάφον Ἀργείοισιν
μητρός τε στυγερῆς καὶ ἀνάλκιδος Αἰγίσθοιο: 310
αὐτῆμαρ δέ οἱ ἦλθε βοὴν ἀγαθὸς Μενέλαος
πολλὰ κτήματ' ἄγων, ὅσα οἱ νέες ἄχθος ἄειραν.
"καὶ σύ, φίλος, μὴ δηθὰ δόμων ἄπο τῆλ' ἀλάλησο,
κτήματά τε προλιπὼν ἄνδρας τ' ἐν σοῖσι δόμοισιν
οὕτω ὑπερφιάλους, μή τοι κατὰ πάντα φάγωσιν 315
κτήματα δασσάμενοι, σὺ δὲ τηϋσίην ὁδὸν ἔλθῃς.
ἀλλ' ἐς μὲν Μενέλαον ἐγὼ κέλομαι καὶ ἄνωγα
ἐλθεῖν: κεῖνος γὰρ νέον ἄλλοθεν εἰλήλουθεν,
ἐκ τῶν ἀνθρώπων, ὅθεν οὐκ ἔλποιτό γε θυμῷ
ἐλθέμεν, ὅν τινα πρῶτον ἀποσφήλωσιν ἄελλαι 320
ἐς πέλαγος μέγα τοῖον, ὅθεν τέ περ οὐδ' οἰωνοὶ
αὐτόετες οἰχνεῦσιν, ἐπεὶ μέγα τε δεινόν τε.
ἀλλ' ἴθι νῦν σὺν νηΐ τε σῇ καὶ σοῖς ἑτάροισιν:
εἰ δ' ἐθέλεις πεζός, πάρα τοι δίφρος τε καὶ ἵπποι,
πὰρ δὲ τοι υἷες ἐμοί, οἵ τοι πομπῆες ἔσονται 325
ἐς Λακεδαίμονα δῖαν, ὅθι ξανθὸς Μενέλαος.
λίσσεσθαι δέ μιν αὐτός, ἵνα νημερτὲς ἐνίσπῃ:
ψεῦδος δ' οὐκ ἐρέει: μάλα γὰρ πεπνυμένος ἐστίν."
ὣς ἔφατ', ἠέλιος δ' ἄρ' ἔδυ καὶ ἐπὶ κνέφας ἦλθε.

de Gortina, banhada de mar tenebroso. Lá silva
sinistro o Sul impetuoso contra o Festo, pedra 295
pequena, pega-vagalhões. Para lá levaram os ventos
as naus, a custo salvaram-se os homens, conquanto
as ondas estilhaçaram os barcos nas pedras. As
cinco restantes, contudo, de proa enegrecida,
por rajadas e ondas foram lançadas ao Egito. Lá, 300
recolhendo muitos recursos e ouro, as naus o
levaram a gente de línguas ignotas. Entrementes,
em casa, Egisto, safado, faz das suas. Matou
Agamênon e ocupou o trono da riquíssima Micenas
por sete anos. O povo lhe obedeceu na marra. No 305
oitavo ano, para desgraça do descarado, apareceu
Orestes, veio de Atenas para aniquilar o assassino
de seu pai, Egisto, o pilantra, que sujara as mãos
com o sangue de um herói sem igual. Perpetrada
a vingança, Orestes ofereceu aos argivos um 310
banquete para celebrar a morte da mãe odiada,
e de Egisto, um covarde. No mesmo dia voltou
Menelau com os porões dos navios abarrotados
de riquezas. E tu, amigo, não te demores longe
de casa, não deixes teus bens e teu palácio com 315
esses insolentes. Não ocorra que devorem tudo,
que dividam tua propriedade, que a viagem termine
em desastre. Recomendo que faças uma visita a
Menelau, que voltou, não faz muito, de uma viagem
a terras muito distantes. Ninguém esperava que 320
pudesse regressar de lá. Ventos o tinham arrastado
ao mar profundo. Aves não venceriam o trajeto
nem em voo de um ano inteiro. Viagem muito
arriscada. Aparelha teu barco e tua gente. Se
preferes ir por terra, terás carro e cavalos. Meus 325
filhos te acompanharão à Lacedemônia, reino do
louro Menelau. Roga-lhe que diga o que sabe.
Não te enganará. Tratarás com um homem correto."

τοῖσι δὲ καὶ μετέειπε θεά, γλαυκῶπις Ἀθήνη· 330
"ὦ γέρον, ἦ τοι ταῦτα κατὰ μοῖραν κατέλεξας·
ἀλλ' ἄγε τάμνετε μὲν γλώσσας, κεράσθε δὲ οἶνον,
ὄφρα Ποσειδάωνι καὶ ἄλλοις ἀθανάτοισιν
σπείσαντες κοίτοιο μεδώμεθα· τοῖο γὰρ ὥρη.
ἤδη γὰρ φάος οἴχεθ' ὑπὸ ζόφον, οὐδὲ ἔοικεν· 335
δηθὰ θεῶν ἐν δαιτὶ θαασσέμεν, ἀλλὰ νέεσθαι."
ἦ ῥα Διὸς θυγάτηρ, οἱ δ' ἔκλυον αὐδησάσης.
τοῖσι δὲ κήρυκες μὲν ὕδωρ ἐπὶ χεῖρας ἔχευαν,
κοῦροι δὲ κρητῆρας ἐπεστέψαντο ποτοῖο,
νώμησαν δ' ἄρα πᾶσιν ἐπαρξάμενοι δεπάεσσι· 340
γλώσσας δ' ἐν πυρὶ βάλλον, ἀνιστάμενοι δ' ἐπέλειβον.
αὐτὰρ ἐπεὶ σπεῖσάν τ' ἔπιον θ', ὅσον ἤθελε θυμός,
δὴ τότ' Ἀθηναίη καὶ Τηλέμαχος θεοειδὴς
ἄμφω ἱέσθην κοίλην ἐπὶ νῆα νέεσθαι.
Νέστωρ δ' αὖ κατέρυκε καθαπτόμενος ἐπέεσσιν· 345
"Ζεὺς τό γ' ἀλεξήσειε καὶ ἀθάνατοι θεοὶ ἄλλοι,
ὡς ὑμεῖς παρ' ἐμεῖο θοὴν ἐπὶ νῆα κίοιτε
ὥς τέ τευ ἦ παρὰ πάμπαν ἀνείμονος ἠδὲ πενιχροῦ,
ᾧ οὔ τι χλαῖναι καὶ ῥήγεα πόλλ' ἐνὶ οἴκῳ,
οὔτ' αὐτῷ μαλακῶς οὔτε ξείνοισιν ἐνεύδειν. 350
αὐτὰρ ἐμοὶ πάρα μὲν χλαῖναι καὶ ῥήγεα καλά.
οὔ θην δὴ τοῦδ' ἀνδρὸς Ὀδυσσῆος φίλος υἱὸς
νηὸς ἐπ' ἰκριόφιν καταλέξεται, ὄφρ' ἂν ἐγώ γε
ζώω, ἔπειτα δὲ παῖδες ἐνὶ μεγάροισι λίπωνται,
ξείνους ξεινίζειν, ὅς τίς κ' ἐμὰ δώμαθ' ἵκηται." 355
τὸν δ' αὖτε προσέειπε θεά, γλαυκῶπις Ἀθήνη·
"εὖ δὴ ταῦτά γ' ἔφησθα, γέρον φίλε· σοὶ δὲ ἔοικεν
Τηλέμαχον πείθεσθαι, ἐπεὶ πολὺ κάλλιον οὕτως.
ἀλλ' οὗτος μὲν νῦν σοὶ ἅμ' ἕψεται, ὄφρα κεν εὕδῃ
σοῖσιν ἐνὶ μεγάροισιν· ἐγὼ δ' ἐπὶ νῆα μέλαιναν 360
εἶμ', ἵνα θαρσύνω θ' ἑτάρους εἴπω τε ἕκαστα.
οἶος γὰρ μετὰ τοῖσι γεραίτερος εὔχομαι εἶναι·
οἱ δ' ἄλλοι φιλότητι νεώτεροι ἄνδρες ἕπονται,
πάντες ὁμηλικίη μεγαθύμου Τηλεμάχοιο.
ἔνθα κε λεξαίμην κοίλῃ παρὰ νηὶ μελαίνῃ 365

Assim falou Nestor. O sol se pôs, veio a noite.
Falou-lhe Atena, a deusa do corujado olhar: 330
"Venerando, é de preceito tudo o que falaste.
Corte-se o curso da fala, prepare-se o vinho
para a oferenda a Posidon e aos outros imortais.
Tratemos de dormir. A hora demanda repouso.
A luz já se esconde nas trevas. Não convém 335
prolongar o sacro banquete. Andemos!" Assim
falou a filha de Zeus a homens atentos. Os arautos
verteram-lhes água nas mãos. Crateras, portadas
por jovens, avançam repletas de vinho. Plenas
as taças de todos, principia o sacrifício. Lançam 340
línguas ao fogo e as regam eretos. Concluída a
cerimônia e saciado o anelo de vinho, tanto Atena
quanto Telêmaco Divino-Semblante ergueram-se
ambos para retornar à nave bojuda. Nestor dirigiu-
-lhes palavra solícita para detê-los: "Zeus me guarde 345
e os outros imortais também de consentir que
deixeis minha casa para dormir no navio como se
eu fosse um pobretão, carente de cobertores e
tapetes. Reservo-os para meu próprio conforto
e para o descanso de meus hóspedes. Asseguro 350
que leitos confortáveis nunca faltam em meu
palácio. Enquanto eu viver, o filho de um herói
como Odisseu não passará a noite no convés.
Meus filhos são herdeiros da hospitalidade
a todos que procuram este solar." Respondeu- 355
-lhe a deusa do brilhante olhar, Atena: "Proferes
palavras gentis, caro Senhor. Telêmaco atenderá
teu apelo, visto que é correto proceder assim.
Ele te seguirá. Passará a noite em tua mansão.
Quanto a mim, convém que eu retorne à negra nau 360
para distribuir as tarefas entre os companheiros.
Tenho a honra de ser o mais experimentado de
todos. Temos tripulação jovem. Acompanham-no
por amizade. Todos têm idade próxima à do
generoso Telêmaco. Passarei a noite no navio. Ao 365

νῦν· ἀτὰρ ἠῶθεν μετὰ Καύκωνας μεγαθύμους
εἶμ' ἔνθα χρεῖός μοι ὀφέλλεται, οὔ τι νέον γε
οὐδ' ὀλίγον. σὺ δὲ τοῦτον, ἐπεὶ τεὸν ἵκετο δῶμα,
πέμψον σὺν δίφρῳ τε καὶ υἱέι· δὸς δέ οἱ ἵππους,
οἵ τοι ἐλαφρότατοι θείειν καὶ κάρτος ἄριστοι." 370
ὣς ἄρα φωνήσασ' ἀπέβη γλαυκῶπις Ἀθήνη
φήνῃ εἰδομένη· θάμβος δ' ἕλε πάντας ἰδόντας.
θαύμαζεν δ' ὁ γεραιός, ὅπως ἴδεν ὀφθαλμοῖς·
Τηλεμάχου δ' ἕλε χεῖρα, ἔπος τ' ἔφατ' ἔκ τ' ὀνόμαζεν·
"ὦ φίλος, οὔ σε ἔολπα κακὸν καὶ ἄναλκιν ἔσεσθαι, 375
εἰ δή τοι νέῳ ὧδε θεοὶ πομπῆες ἕπονται.
οὐ μὲν γάρ τις ὅδ' ἄλλος Ὀλύμπια δώματ' ἐχόντων,
ἀλλὰ Διὸς θυγάτηρ, κυδίστη Τριτογένεια,
ἥ τοι καὶ πατέρ' ἐσθλὸν ἐν Ἀργείοισιν ἐτίμα.
ἀλλὰ ἄνασσ' ἴληθι, δίδωθι δέ μοι κλέος ἐσθλόν, 380
αὐτῷ καὶ παίδεσσι καὶ αἰδοίῃ παρακοίτι·
σοὶ δ' αὖ ἐγὼ ῥέξω βοῦν ἦνιν εὐρυμέτωπον
ἀδμήτην, ἣν οὔ πω ὑπὸ ζυγὸν ἤγαγεν ἀνήρ·
τήν τοι ἐγὼ ῥέξω χρυσὸν κέρασιν περιχεύας."
ὣς ἔφατ' εὐχόμενος, τοῦ δ' ἔκλυε Παλλὰς Ἀθήνη. 385
τοῖσιν δ' ἡγεμόνευε Γερήνιος ἱππότα Νέστωρ,
υἱάσι καὶ γαμβροῖσιν, ἑὰ πρὸς δώματα καλά.
ἀλλ' ὅτε δώμαθ' ἵκοντο ἀγακλυτὰ τοῖο ἄνακτος,
ἑξείης ἕζοντο κατὰ κλισμούς τε θρόνους τε·
τοῖς δ' ὁ γέρων ἐλθοῦσιν ἀνὰ κρητῆρα κέρασσεν 390
οἴνου ἡδυπότοιο, τὸν ἑνδεκάτῳ ἐνιαυτῷ
ὤιξεν ταμίη καὶ ἀπὸ κρήδεμνον ἔλυσε·
τοῦ ὁ γέρων κρητῆρα κεράσσατο, πολλὰ δ' Ἀθήνῃ
εὔχετ' ἀποσπένδων, κούρῃ Διὸς αἰγιόχοιο.
αὐτὰρ ἐπεὶ σπεῖσάν τ' ἔπιον θ', ὅσον ἤθελε θυμός, 395
οἱ μὲν κακκείοντες ἔβαν οἶκόνδε ἕκαστος,
τὸν δ' αὐτοῦ κοίμησε Γερήνιος ἱππότα Νέστωρ,
Τηλέμαχον, φίλον υἱὸν Ὀδυσσῆος θείοιο,
τρητοῖς ἐν λεχέεσσιν ὑπ' αἰθούσῃ ἐριδούπῳ,
πὰρ δ' ἄρ' ἐυμμελίην Πεισίστρατον, ὄρχαμον ἀνδρῶν, 400
ὅς οἱ ἔτ' ἠίθεος παίδων ἦν ἐν μεγάροισιν·

romper do dia partirei para a terra dos cáucones,
gente complicada. Vou cobrar dívida que não é
nova nem pequena. Poderás enviar teu hóspede a
Esparta de carro, acompanhado de um dos teus
filhos, velozes na marcha, robustos e destros no tiro." 370
Com estas palavras despediu-se Atena, sumiu em
voo de águia. Espanto tomou todos os presentes.
De olhos arregalados, estático se deteve o ancião.
Tomando a mão de Telêmaco, falou-lhe solene:
"Tenho certeza de que nada te intimidará, nem 375
mostrarás fraqueza, já que, ainda que jovem, deuses
te seguem no séquito. Dos habitantes do Olimpo,
a própria filha de Zeus, a esplendente Tritogênia te
acompanhou, também ela distinguiu teu ilustre
pai. Rogo, Senhora, concede-me renome fulgente 380
também a mim, a meus filhos e a minha respeitada
esposa. Receberás o sacrifício de uma novilha de
um ano, de larga testa, indômita, nunca submetida
a jugo. Terá os cornos revestidos de ouro. Assim a
oferecerei." Invocou com estas palavras a deusa. 385
Atena ouviu-lhe a prece. O Venerando os conduziu
a seu belo solar. Acompanharam Nestor, filhos
e genros. Quando chegaram ao soberbo palácio
senhorial, tomaram por ordem cadeiras e poltronas.
O ancião ofereceu aos hóspedes vinho de rico sabor, 390
preparado em jarras. Onze anos tinha a bebida.
Uma serviçal abriu as tampas dos vasos. Pronta
a bebida, o ancião homenageou com libações
Atena, dirigiu preces à filha do Zeus guerreiro.
Feitas as libações e satisfeito o desejo de beber, 395
cada qual procurou o abrigo de sua própria casa.
Nestor indicou pessoalmente o leito a Telêmaco,
filho do estimado Odisseu, leito lavrado e armado
ali mesmo na ressoante sala, junto ao lanceiro
Pisístrato, comandante de tropas, o único dos filhos 400
que, solteiro, ainda residia no palácio. O venerável

αὐτὸς δ' αὖτε καθεῦδε μυχῷ δόμου ὑψηλοῖο,
τῷ δ' ἄλοχος δέσποινα λέχος πόρσυνε καὶ εὐνήν.

ἦμος δ' ἠριγένεια φάνη ῥοδοδάκτυλος Ἠώς,
ὤρνυτ' ἄρ' ἐξ εὐνῆφι Γερήνιος ἱππότα Νέστωρ, 405
ἐκ δ' ἐλθὼν κατ' ἄρ' ἕζετ' ἐπὶ ξεστοῖσι λίθοισιν,
οἵ οἱ ἔσαν προπάροιθε θυράων ὑψηλάων,
λευκοί, ἀποστίλβοντες ἀλείφατος· οἷς ἔπι μὲν πρὶν
Νηλεὺς ἵζεσκεν, θεόφιν μήστωρ ἀτάλαντος·
ἀλλ' ὁ μὲν ἤδη κηρὶ δαμεὶς Ἄϊδόσδε βεβήκει, 410
Νέστωρ αὖ τότ' ἐφῖζε Γερήνιος, οὖρος Ἀχαιῶν,
σκῆπτρον ἔχων. περὶ δ' υἷες ἀολλέες ἠγερέθοντο
ἐκ θαλάμων ἐλθόντες, Ἐχέφρων τε Στρατίος τε
Περσεύς τ' Ἄρητός τε καὶ ἀντίθεος Θρασυμήδης.
τοῖσι δ' ἔπειθ' ἕκτος Πεισίστρατος ἤλυθεν ἥρως, 415
πὰρ δ' ἄρα Τηλέμαχον θεοείκελον εἷσαν ἄγοντες.
τοῖσι δὲ μύθων ἦρχε Γερήνιος ἱππότα Νέστωρ·
"καρπαλίμως μοι, τέκνα φίλα, κρηήνατ' ἐέλδωρ,
ὄφρ' ἤ τοι πρώτιστα θεῶν ἱλάσσομ' Ἀθήνην,
ἥ μοι ἐναργὴς ἦλθε θεοῦ ἐς δαῖτα θάλειαν. 420
ἀλλ' ἄγ' ὁ μὲν πεδίονδ' ἐπὶ βοῦν, ἴτω, ὄφρα τάχιστα
ἔλθῃσιν, ἐλάσῃ δὲ βοῶν ἐπιβουκόλος ἀνήρ·
εἷς δ' ἐπὶ Τηλεμάχου μεγαθύμου νῆα μέλαιναν
πάντας ἰὼν ἑτάρους ἀγέτω, λιπέτω δὲ δύ' οἴους·
εἷς δ' αὖ χρυσοχόον Λαέρκεα δεῦρο κελέσθω 425
ἐλθεῖν, ὄφρα βοὸς χρυσὸν κέρασιν περιχεύῃ.
οἱ δ' ἄλλοι μένετ' αὐτοῦ ἀολλέες, εἴπατε δ' εἴσω
δμῳῇσιν κατὰ δώματ' ἀγακλυτὰ δαῖτα πένεσθαι,
ἕδρας τε ξύλα τ' ἀμφὶ καὶ ἀγλαὸν οἰσέμεν ὕδωρ."
ὣς ἔφαθ', οἱ δ' ἄρα πάντες ἐποίπνυον. ἦλθε μὲν ἄρ βοῦς 430
ἐκ πεδίου, ἦλθον δὲ θοῆς παρὰ νηὸς ἐΐσης
Τηλεμάχου ἕταροι μεγαλήτορος, ἦλθε δὲ χαλκεὺς
ὅπλ' ἐν χερσὶν ἔχων χαλκήια, πείρατα τέχνης,
ἄκμονά τε σφῦραν τ' ἐυποίητόν τε πυράγρην,
οἷσίν τε χρυσὸν εἰργάζετο· ἦλθε δ' Ἀθήνη 435
ἱρῶν ἀντιόωσα. γέρων δ' ἱππηλάτα Νέστωρ
χρυσὸν ἔδωχ'· ὁ δ' ἔπειτα βοὸς κέρασιν περίχευεν

Nestor recolheu-se ao interior do imponente
palácio onde a rainha lhe adorna o leito e o sono.

Logo que matutina se ergueu a de róseos dedos
Aurora, interrompeu o descanso Nestor, o venerando 405
cavaleiro. Ao deixar o palácio, tomou assento em
pedras lavradas; eram brancas, brilhavam polidas
junto aos majestosos portões. Em outros tempos,
as ocupara Neleu, de saber comparável aos deuses.
Imobilizado, porém, pelo peso da morte, já descera 410
ao Hades. Acomodava-se nelas agora o respeitado
Nestor, baluarte dos aqueus, de cetro em punho.
Deixando os aposentos, cercavam-no solícitos os
filhos: Equéfron, Estrácio, Perseu, Areto e
Trasímedes. Veio ainda Pisístrato valente. Estes 415
aproximavam-se, conduzindo Telêmaco, o divino.
Dirigiu-lhes a palavra o nobre cavaleiro Nestor:
"Conto com vocês para satisfazer um desejo meu.
Quero que Atena, inquestionavelmente presente
no banquete que ofereci a Posidon, me seja propícia. 420
Um de vocês deverá ir ao campo para trazer uma
novilha, um dos vaqueiros a conduzirá. Outro
deverá dirigir-se à nau de Telêmaco, jovem de
nobres sentimentos. Traga todos os companheiros.
Deixe apenas dois. Outro convoque Laerces. O 425
ourives estará aqui para dourar os chifres da
novilha. Os demais permanecerão para dirigir
as criadas no preparo de um extraordinário
banquete. Que não faltem assentos, nem lenha
nem água cristalina." Foi o que disse. Todos o 430
atenderam solícitos. Veio a novilha do campo,
vieram da leve nau veloz os companheiros de
Telêmaco, veio o artesão aparelhado dos
apetrechos de seu ofício: bigorna, martelo e
correta tenaz para lavrar o ouro. E veio Atena, 435
presente à cerimônia. Nestor, o venerável,
estendeu-lhe o ouro. O artífice revestiu os chifres

ἀσκήσας, ἵν' ἄγαλμα θεὰ κεχάροιτο ἰδοῦσα.
βοῦν δ' ἀγέτην κεράων Στρατίος καὶ δῖος Ἐχέφρων.
χέρνιβα δέ σφ' Ἄρητος ἐν ἀνθεμόεντι λέβητι   440
ἤλυθεν ἐκ θαλάμοιο φέρων, ἑτέρῃ δ' ἔχεν οὐλὰς
ἐν κανέῳ πέλεκυν δὲ μενεπτόλεμος Θρασυμήδης
ὀξὺν ἔχων ἐν χειρὶ παρίστατο βοῦν ἐπικόψων.
Περσεὺς δ' ἀμνίον εἶχε: γέρων δ' ἱππηλάτα Νέστωρ
χέρνιβά τ' οὐλοχύτας τε κατήρχετο, πολλὰ δ' Ἀθήνῃ 445
εὔχετ' ἀπαρχόμενος, κεφαλῆς τρίχας ἐν πυρὶ βάλλων.
αὐτὰρ ἐπεί ῥ' εὔξαντο καὶ οὐλοχύτας προβάλοντο,
αὐτίκα Νέστορος υἱὸς ὑπέρθυμος Θρασυμήδης
ἤλασεν ἄγχι στάς: πέλεκυς δ' ἀπέκοψε τένοντας
αὐχενίους, λῦσεν δὲ βοὸς μένος. αἱ δ' ὀλόλυξαν   450
θυγατέρες τε νυοί τε καὶ αἰδοίη παράκοιτις
Νέστορος, Εὐρυδίκη, πρέσβα Κλυμένοιο θυγατρῶν.
οἱ μὲν ἔπειτ' ἀνελόντες ἀπὸ χθονὸς εὐρυοδείης
ἔσχον: ἀτὰρ σφάξεν Πεισίστρατος, ὄρχαμος ἀνδρῶν.
τῆς δ' ἐπεὶ ἐκ μέλαν αἷμα ῥύη, λίπε δ' ὀστέα θυμός, 455
αἶψ' ἄρα μιν διέχευαν, ἄφαρ δ' ἐκ μηρία τάμνον
πάντα κατὰ μοῖραν, κατά τε κνίσῃ ἐκάλυψαν
δίπτυχα ποιήσαντες, ἐπ' αὐτῶν δ' ὠμοθέτησαν.
καῖε δ' ἐπὶ σχίζῃς ὁ γέρων, ἐπὶ δ' αἴθοπα οἶνον
λεῖβε: νέοι δὲ παρ' αὐτὸν ἔχον πεμπώβολα χερσίν.   460
αὐτὰρ ἐπεὶ κατὰ μῆρ' ἐκάη καὶ σπλάγχνα πάσαντο,
μίστυλλόν τ' ἄρα τἆλλα καὶ ἀμφ' ὀβελοῖσιν ἔπειραν,
ὤπτων δ' ἀκροπόρους ὀβελοὺς ἐν χερσὶν ἔχοντες.
τόφρα δὲ Τηλέμαχον λοῦσεν καλὴ Πολυκάστη,
Νέστορος ὁπλοτάτη θυγάτηρ Νηληϊάδαο.   465
αὐτὰρ ἐπεὶ λοῦσέν τε καὶ ἔχρισεν λίπ' ἐλαίῳ,
ἀμφὶ δέ μιν φᾶρος καλὸν βάλεν ἠδὲ χιτῶνα,
ἔκ ῥ' ἀσαμίνθου βῆ δέμας ἀθανάτοισιν ὁμοῖος:
πὰρ δ' ὅ γε Νέστορ' ἰὼν κατ' ἄρ' ἕζετο, ποιμένα λαῶν.
οἱ δ' ἐπεὶ ὤπτησαν κρέ' ὑπέρτερα καὶ ἐρύσαντο,   470
δαίνυνθ' ἑζόμενοι: ἐπὶ δ' ἀνέρες ἐσθλοὶ ὄροντο
οἶνον οἰνοχοεῦντες ἐνὶ χρυσέοις δεπάεσσιν.
αὐτὰρ ἐπεὶ πόσιος καὶ ἐδητύος ἐξ ἔρον ἕντο,
τοῖσι δὲ μύθων ἦρχε Γερήνιος ἱππότα Νέστωρ:

da novilha, obra que maravilhou deusa. Estrácio
e Equéfron conduziram a novilha pelas aspas.
Água lustral trouxe Areto em florida bacia. Trazia 440
da câmara uma cesta de farinha de cevada.
Trasímedes, o duro guerreiro, tomou posição
com uma machadinha para abater a novilha.
Perseu sustentava um recipiente para o sangue.
Nestor precede com água e farinha. Com preces 445
ardentes invoca Atena, lançando ao fogo pelos
da testa. Finda a prece e administrada a farinha,
aproximou-se o filho de Nestor, Trasímedes.
A machadinha talhou os tendões do pescoço,
tirando-lhe o vigor. Prorromperam em pranto 450
as filhas, as noras e esposa de Nestor, Eurídice,
a primeira das filhas de Climeno. Os filhos
ergueram, então, do solo a vítima. Degolou-a
Pisístrato, comandante de tropas. Negro brotou
o sangue, a vida deixou os ossos. Dividiram 455
a rês, extraíram os ossos, envolveram as
partes em dupla camada de graxa revestidas
por outras porções de carne crua. Assou-os
o ancião sobre o tronco com aspersão de
vinho. Auxiliavam-no jovens com garfos de cinco 460
pontas. Assadas as coxas e consumidas as
entranhas, retalharam e espetaram o restante.
Espetos giravam nas mãos dos assadores.
Telêmaco foi banhado pela formosa Policaste,
de Nestor filha em flor. Saído da água, a pele 465
revestida de óleo fulgurava. Veste-o com
túnica e manto. Deixa o banho imponente, com
jeito de imortal. Aproximando-se de Nestor,
tomou assento junto ao guia de povos. Tostada
a carne, tiraram-na dos espetos e tomaram lugar 470
à mesa do banquete. Rapazes guapos serviam
prestativos vinho em cálices de ouro. Satisfeitos do
vinho e do manjar, dirigiu-lhes a palavra Nestor,
o venerando cavaleiro: "Queridos filhos, vamos,

"παῖδες ἐμοί, ἄγε Τηλεμάχῳ καλλίτριχας ἵππους 475
ζεύξαθ' ὑφ' ἅρματ' ἄγοντες, ἵνα πρήσσησιν ὁδοῖο."
ὣς ἔφαθ', οἱ δ' ἄρα τοῦ μάλα μὲν κλύον ἠδ' ἐπίθοντο,
καρπαλίμως δ' ἔζευξαν ὑφ' ἅρμασιν ὠκέας ἵππους.
ἐν δὲ γυνὴ ταμίη σῖτον καὶ οἶνον ἔθηκεν
ὄψα τε, οἷα ἔδουσι διοτρεφέες βασιλῆες. 480
ἂν δ' ἄρα Τηλέμαχος περικαλλέα βήσετο δίφρον·
πὰρ δ' ἄρα Νεστορίδης Πεισίστρατος, ὄρχαμος ἀνδρῶν,
ἐς δίφρον τ' ἀνέβαινε καὶ ἡνία λάζετο χερσί,
μάστιξεν δ' ἐλάαν, τὼ δ' οὐκ ἀέκοντε πετέσθην
ἐς πεδίον, λιπέτην δὲ Πύλου αἰπὺ πτολίεθρον. 485
οἱ δὲ πανημέριοι σεῖον ζυγὸν ἀμφὶς ἔχοντες.
δύσετό τ' ἠέλιος σκιόωντό τε πᾶσαι ἀγυιαί,
ἐς Φηρὰς δ' ἵκοντο Διοκλῆος ποτὶ δῶμα,
υἱέος Ὀρτιλόχοιο, τὸν Ἀλφειὸς τέκε παῖδα.
ἔνθα δὲ νύκτ' ἄεσαν, ὁ δὲ τοῖς πὰρ ξείνια θῆκεν. 490
ἦμος δ' ἠριγένεια φάνη ῥοδοδάκτυλος Ἠώς,
ἵππους τε ζεύγνυνι' ἀνά θ' ἅρματα ποικίλ' ἔβαινον·
ἐκ δ' ἔλασαν προθύροιο καὶ αἰθούσης ἐριδούπου·
μάστιξεν δ' ἐλάαν, τὼ δ' οὐκ ἀέκοντε πετέσθην.
ἷξον δ' ἐς πεδίον πυρηφόρον, ἔνθα δ' ἔπειτα 495
ἦνον ὁδόν· τοῖον γὰρ ὑπέκφερον ὠκέες ἵπποι.
δύσετό τ' ἠέλιος σκιόωντό τε πᾶσαι ἀγυιαί.

tragam os cavalos de crinas luzentes para atrelá-los 475
ao carro a fim de que Telêmaco possa concluir a
viagem." Essa foi a ordem. Atentos, a execução
não demorou. Prepararam habilidosos o carro e os
cavalos velozes. Uma serviçal providenciou pão e
vinho, iguarias de reis nutridos por Zeus. 480
Acomodou-se Telêmaco no esplendoroso carro.
Seguiu-o Pisístrato guerreiro, filho de Nereu.
Tomando assento junto dele, empunhou as rédeas.
Os corcéis, incitados, largaram; fogosos seguiram
pela estrada. Distanciaram-se de Pilos, a formidável 485
fortaleza. Balouçavam o jugo na marcha de dia
inteiro. Pôs-se o sol, trevas cobriram todos os
caminhos. Alcançaram Feres e a casa de Díocles,
filho de Ortíloco, gerado por Alfeu. Passaram ali
a noite, tendo sido hospitaleiramente acolhidos. 490
Quando raiou matutina a rododáctila Aurora,
atrelados os cavalos, tomam o vistoso carro,
deixam o pórtico e a sala sonora. Soou o flagelo,
avançam refeitos os potros. Percorridos
os trigais, chegaram ao fim do trajeto, graças 495
à decidida rapidez dos animais. Declinou o sol,
todos os caminhos vestiram-se de negro.

ΟΔΥΣΣΕΙΑΣ Δ

οἱ δ' ἷξον κοίλην Λακεδαίμονα κητώεσσαν,
πρὸς δ' ἄρα δώματ' ἔλων Μενελάου κυδαλίμοιο.
τὸν δ' εὗρον δαινύντα γάμον πολλοῖσιν ἔτῃσιν
υἱέος ἠδὲ θυγατρὸς ἀμύμονος ᾧ ἐνὶ οἴκῳ.
τὴν μὲν Ἀχιλλῆος ῥηξήνορος υἱέι πέμπεν· 05
ἐν Τροίῃ γὰρ πρῶτον ὑπέσχετο καὶ κατένευσε
δωσέμεναι, τοῖσιν δὲ θεοὶ γάμον ἐξετέλειον.
τὴν ἄρ' ὅ γ' ἔνθ' ἵπποισι καὶ ἅρμασι πέμπε νέεσθαι
Μυρμιδόνων προτὶ ἄστυ περικλυτόν, οἷσιν ἄνασσεν.
υἱέι δὲ Σπάρτηθεν Ἀλέκτορος ἤγετο κούρην, 10
ὅς οἱ τηλύγετος γένετο κρατερὸς Μεγαπένθης
ἐκ δούλης· Ἑλένῃ δὲ θεοὶ γόνον οὐκέτ' ἔφαινον,
ἐπεὶ δὴ τὸ πρῶτον ἐγείνατο παῖδ' ἐρατεινήν,
Ἑρμιόνην, ἣ εἶδος ἔχε χρυσέης Ἀφροδίτης.
ὣς οἱ μὲν δαίνυντο καθ' ὑψερεφὲς μέγα δῶμα 15
γείτονες ἠδὲ ἔται Μενελάου κυδαλίμοιο,
τερπόμενοι· μετὰ δέ σφιν ἐμέλπετο θεῖος ἀοιδὸς
φορμίζων, δοιὼ δὲ κυβιστητῆρε κατ' αὐτούς,
μολπῆς ἐξάρχοντος, ἐδίνευον κατὰ μέσσους.

τὼ δ' αὖτ' ἐν προθύροισι δόμων αὐτώ τε καὶ ἵππω, 20
Τηλέμαχός θ' ἥρως καὶ Νέστορος ἀγλαὸς υἱός,
στῆσαν· ὁ δὲ προμολὼν ἴδετο κρείων Ἐτεωνεύς,
ὀτρηρὸς θεράπων Μενελάου κυδαλίμοιο,
βῆ δ' ἴμεν ἀγγελέων διὰ δώματα ποιμένι λαῶν,
ἀγχοῦ δ' ἱστάμενος ἔπεα πτερόεντα προσηύδα· 25
"ξείνω δή τινε τώδε, διοτρεφὲς ὦ Μενέλαε,
ἄνδρε δύω, γενεῇ δὲ Διὸς μεγάλοιο ἔικτον.
ἀλλ' εἴπ', ἤ σφωιν καταλύσομεν ὠκέας ἵππους,
ἦ ἄλλον πέμπωμεν ἱκανέμεν, ὅς κε φιλήσῃ."
τὸν δὲ μέγ' ὀχθήσας προσέφη ξανθὸς Μενέλαος· 30
"οὐ μὲν νήπιος ἦσθα, Βοηθοΐδη Ἐτεωνεῦ,
τὸ πρίν· ἀτὰρ μὲν νῦν γε πάϊς ὣς νήπια βάζεις.

Canto 4

Os visitantes, alcançando Lacedemônia no vale
profundo, dirigiram-se ao solar de Menelau.
Encontraram o rei à mesa do banquete. O palácio
celebrava as núpcias dos príncipes, o filho e a filha
do rei. Menelau prometera a garota ao filho de   05
Aquiles Rompe-Esquadrões. A união – os deuses a
consagravam só agora – já fora tratada e selada
em Troia. Com escolta de carros, a noiva partiria
para a capital dos mirmidões, onde seria recebida
pelo noivo, o rei. De Esparta Menelau trouxera   10
a filha de Aléctor para ser esposa de Megapentes,
filho que lhe nascera de uma escrava, quando ele já
lutava longe. Os deuses não concederam a Helena
outros filhos depois da encantadora Hermione, que na
compleição lembrava a áurea Afrodite. Elevado era   15
o teto da sala em que se banqueteavam parentes e
amigos. Ao som da lira, a voz de um cantor alegrava
os convivas. Em harmoniosas evoluções giravam,
para o encanto dos convivas, dois bailarinos.

O carro estacionou diante da mansão. Telêmaco,   20
o herói, e o nobre filho de Nestor desembarcaram.
Adiantando-se, percebeu-os Eteoneu. O operoso
servidor de Menelau atravessou diligente o palácio
para alertar o comandante de tropas. Aproximou-se.
Saltaram-lhe a cerca dos dentes estas palavras: 25
Recebemos a visita de estrangeiros, divino Rei;
dois homens, parecem da linhagem do grande Zeus.
Devemos desatrelar-lhes os cavalos, ou preferes
que os encomendemos à hospitalidade de outro?"
Ao balouço dos cabelos de ouro, contestou exaltado   30
Menelau: "Filho de Boeto, caro Eteoneu, não me
parecias tolo, mas agora tua conversa me soa

ἦ μὲν δὴ νῶι ξεινήια πολλὰ φαγόντε
ἄλλων ἀνθρώπων δεῦρ' ἱκόμεθ', αἴ κέ ποθι Ζεὺς
ἐξοπίσω περ παύσῃ ὀιζύος. ἀλλὰ λύ' ἵππους 35
ξείνων, ἐς δ' αὐτοὺς προτέρω ἄγε θοινηθῆναι."
ὣς φάθ', ὁ δὲ μεγάροιο διέσσυτο, κέκλετο δ' ἄλλους
ὀτρηροὺς θεράποντας ἅμα σπέσθαι ἑοῖ αὐτῷ.
οἱ δ' ἵππους μὲν λῦσαν ὑπὸ ζυγοῦ ἱδρώοντας,
καὶ τοὺς μὲν κατέδησαν ἐφ' ἱππείῃσι κάπῃσι, 40
πὰρ δ' ἔβαλον ζειάς, ἀνὰ δὲ κρῖ λευκὸν ἔμιξαν,
ἅρματα δ' ἔκλιναν πρὸς ἐνώπια παμφανόωντα,
αὐτοὺς δ' εἰσῆγον θεῖον δόμον. οἱ δὲ ἰδόντες
θαύμαζον κατὰ δῶμα διοτρεφέος βασιλῆος:
ὥς τε γὰρ ἠελίου αἴγλη πέλεν ἠὲ σελήνης 45
δῶμα καθ' ὑψερεφὲς Μενελάου κυδαλίμοιο.
αὐτὰρ ἐπεὶ τάρπησαν ὁρώμενοι ὀφθαλμοῖσιν,
ἔς ῥ' ἀσαμίνθους βάντες ἐυξέστας λοῦσαντο.
τοὺς δ' ἐπεὶ οὖν δμωαὶ λοῦσαν καὶ χρῖσαν ἐλαίῳ,
ἀμφὶ δ' ἄρα χλαίνας οὔλας βάλον ἠδὲ χιτῶνας, 50
ἔς ῥα θρόνους ἕζοντο παρ' Ἀτρεΐδην Μενέλαον.
χέρνιβα δ' ἀμφίπολος προχόῳ ἐπέχευε φέρουσα
καλῇ χρυσείῃ ὑπὲρ ἀργυρέοιο λέβητος,
νίψασθαι: παρὰ δὲ ξεστὴν ἐτάνυσσε τράπεζαν.
σῖτον δ' αἰδοίη ταμίη παρέθηκε φέρουσα, 55
εἴδατα πόλλ' ἐπιθεῖσα, χαριζομένη παρεόντων.
δαιτρὸς δὲ κρειῶν πίνακας παρέθηκεν ἀείρας
παντοίων, παρὰ δέ σφι τίθει χρύσεια κύπελλα.
τὼ καὶ δεικνύμενος προσέφη ξανθὸς Μενέλαος:
"σίτου θ' ἅπτεσθον καὶ χαίρετον. αὐτὰρ ἔπειτα 60
δείπνου πασσαμένω εἰρησόμεθ', οἵ τινές ἐστον
ἀνδρῶν: οὐ γὰρ σφῷν γε γένος ἀπόλωλε τοκήων,
ἀλλ' ἀνδρῶν γένος ἐστὲ διοτρεφέων βασιλήων
σκηπτούχων, ἐπεὶ οὔ κε κακοὶ τοιούσδε τέκοιεν."
ὣς φάτο, καί σφιν νῶτα βοὸς παρὰ πίονα θῆκεν 65
ὄπτ' ἐν χερσὶν ἑλών, τά ῥά οἱ γέρα πάρθεσαν αὐτῷ.
οἱ δ' ἐπ' ὀνείαθ' ἑτοῖμα προκείμενα χεῖρας ἴαλλον.
αὐτὰρ ἐπεὶ πόσιος καὶ ἐδητύος ἐξ ἔρον ἕντο,
δὴ τότε Τηλέμαχος προσεφώνεε Νέστορος υἱόν,

infantil. Recorri, ao regressar, à hospitalidade de
muitos, homens que nem me conheciam. Zeus nos
guarde de contratempos futuros. Desatrela já os 35
cavalos. Que os estrangeiros venham à minha mesa!"
A ordem foi esta. Atravessando a sala, o diligente
servidor convocou outros para prontos o
acompanharem. Os corcéis, aliviados do jugo,
foram conduzidos ao estábulo. Atados aos cochos, 40
provaram trigo misturado com cevada. Apoiado
o carro na parede reluzente, os hóspedes foram
introduzidos no glorioso palácio. De olhos
extasiados, admiravam a casa do favorito de Zeus.
Esplendor como o do sol ou da lua revestia 45
a soberba residência de Menelau. Abriam os olhos
ao brilho insaciáveis, enquanto banharam os pés
em bacias fulgurantes. Dedos servis umedeceram-
-lhes a pele e perfumaram-lhes os braços. Protegidos
com o algodão de túnicas e mantos, assentaram-se 50
junto a Menelau, filho de Atreu. Dedos solícitos
portavam vasilhas de ouro, adoráveis, aparelhadas
de esplendorosas conchas de prata para as abluções.
Mãos prestimosas aproximaram a mesa. Gestos
hábeis distribuíam o pão na alva superfície, graciosos 55
movimentos dispunham toda sorte de iguarias.
Adiantou-se o trinchador com apetitosas porções,
divididas em pranchas acompanhadas de áureos
cálices. Saudou os visitantes Menelau: "Seja do
vosso agrado o que vos foi oferecido. Servidos, 60
posso saber quem sois? Povo? Concluídos
vossos dias na terra, não desaparecerá vossa
gente. Zeus alimenta a raça de que procedeis.
Rostos reais eu vejo, cetros. Raça vil não produz
exemplares assim." Falou e lhes ofereceu, com as 65
próprias mãos, o que aparecera de melhor, carne
suculenta, do lombo. Não ficaram insensíveis
à honrosa oferta. Bem alimentados, aproximou-
-se Telêmaco do filho de Nestor. Falou-lhe ao pé

ἄγχι σχὼν κεφαλήν, ἵνα μὴ πευθοίαθ' οἱ ἄλλοι·   70
"φράζεο, Νεστορίδη, τῷ ἐμῷ κεχαρισμένε θυμῷ,
χαλκοῦ τε στεροπὴν κὰδ δώματα ἠχήεντα
χρυσοῦ τ' ἠλέκτρου τε καὶ ἀργύρου ἠδ' ἐλέφαντος.
Ζηνός που τοιήδε γ' Ὀλυμπίου ἔνδοθεν αὐλή,
ὅσσα τάδ' ἄσπετα πολλά· σέβας μ' ἔχει εἰσορόωντα." 75
τοῦ δ' ἀγορεύοντος ξύνετο ξανθὸς Μενέλαος,
καί σφεας φωνήσας ἔπεα πτερόεντα προσηύδα·
"τέκνα φίλ', ἦ τοι Ζηνὶ βροτῶν οὐκ ἄν τις ἐρίζοι·
ἀθάνατοι γὰρ τοῦ γε δόμοι καὶ κτήματ' ἔασιν·
ἀνδρῶν δ' ἤ κέν τίς μοι ἐρίσσεται, ἠὲ καὶ οὐκί,   80
κτήμασιν. ἦ γὰρ πολλὰ παθὼν καὶ πόλλ' ἐπαληθεὶς
ἠγαγόμην ἐν νηυσὶ καὶ ὀγδοάτῳ ἔτει ἦλθον,
Κύπρον Φοινίκην τε καὶ Αἰγυπτίους ἐπαληθείς,
Αἰθίοπάς θ' ἱκόμην καὶ Σιδονίους καὶ Ἐρεμβοὺς
καὶ Λιβύην, ἵνα τ' ἄρνες ἄφαρ κεραοὶ τελέθουσι.   85
τρὶς γὰρ τίκτει μῆλα τελεσφόρον εἰς ἐνιαυτόν.
ἔνθα μὲν οὔτε ἄναξ ἐπιδευὴς οὔτε τι ποιμὴν
τυροῦ καὶ κρειῶν οὐδὲ γλυκεροῖο γάλακτος,
ἀλλ' αἰεὶ παρέχουσιν ἐπηετανὸν γάλα θῆσθαι.
ἧος ἐγὼ περὶ κεῖνα πολὺν βίοτον συναγείρων   90
ἠλώμην, τῆός μοι ἀδελφεὸν ἄλλος ἔπεφνεν
λάθρῃ, ἀνωιστί, δόλῳ οὐλομένης ἀλόχοιο·
ὣς οὔ τοι χαίρων τοῖσδε κτεάτεσσιν ἀνάσσω.
καὶ πατέρων τάδε μέλλετ' ἀκουέμεν, οἵ τινες ὑμῖν
εἰσίν, ἐπεὶ μάλα πολλὰ πάθον, καὶ ἀπώλεσα οἶκον 95
εὖ μάλα ναιετάοντα, κεχανδότα πολλὰ καὶ ἐσθλά.
ὧν ὄφελον τριτάτην περ ἔχων ἐν δώμασι μοῖραν
ναίειν, οἱ δ' ἄνδρες σόοι ἔμμεναι, οἳ τότ' ὄλοντο
Τροίῃ ἐν εὐρείῃ ἑκὰς Ἄργεος ἱπποβότοιο.
ἀλλ' ἔμπης πάντας μὲν ὀδυρόμενος καὶ ἀχεύων   100
πολλάκις ἐν μεγάροισι καθήμενος ἡμετέροισιν
ἄλλοτε μέν τε γόῳ φρένα τέρπομαι, ἄλλοτε δ' αὖτε
παύομαι· αἰψηρὸς δὲ κόρος κρυεροῖο γόοιο.
τῶν πάντων οὐ τόσσον ὀδύρομαι, ἀχνύμενός περ,
ὡς ἑνός, ὅς τέ μοι ὕπνον ἀπεχθαίρει καὶ ἐδωδὴν   105
μνωομένῳ, ἐπεὶ οὔ τις Ἀχαιῶν τόσσ' ἐμόγησεν,

do ouvido um segredo que excluía os demais: 70
"Tesouro do meu peito, estou deslumbrado. Que
espetáculo! Pela sala vibram fulgurações de bronze
e de ouro e de âmbar e de prata e de marfim!
Imaginas assim o palácio olímpico de Zeus?
É demais! A variedade inunda-me os olhos." 75
Tanto espanto não escapou ao loiro Menelau.
Dirigindo-se aos dois, largou estas palavras ao ar:
"Meus caros jovens, mortal algum poderá
competir com Zeus. Imperecíveis perduram a casa
e as posses dele. Mortais, é verdade, competem 80
comigo em riqueza, nem todos. Privações em
longes terras foi o preço do que recolhi em navios
por oito duros anos. Naveguei por Chipre, Fenícia,
Egito. Alcancei etíopes, sidônios, erembos.
Cheguei à Líbia, onde até cordeiros são chifrudos, 85
as ovelhas embarrigam três vezes ao ano, não
falta nada a ninguém, nem a proprietário nem a
pastor, há fartura de carne, de leite, de queijo sem
igual. Lá as ovelhas arrastam ubres entumecidos
o ano todo. Eu me abastecia. Aí certo indivíduo 90
matou sorrateiramente meu irmão. Golpe traiçoeiro.
Minha cunhada participou, a própria. Desgraçada!
Como poderia eu imperar sobre esta opulência
minha? Vossos pais não mencionaram o que vos
conto? Nem sei quem são. Padeci horrores. Minha 95
casa já foi arrasada, e eu vivia no conforto. Eu me
daria por satisfeito com um terço do que tenho,
se vivos estivessem meus companheiros sacrificados
nos campos de Troia, longe da Argos de potros
velozes. Prostrado, vezes sem conta, e isolado neste 100
palácio, rios de lágrimas derramo por todos, até me
render exausto ao cansaço, sem consolo, farto de
amargura e de choro. Ainda que todos me aflijam,
ninguém me causa tanta dor como este um – a
lembrança dele me tira até o gosto de comer 105
e de beber. Ninguém dos aqueus padeceu nem se

ὅσσ' Ὀδυσεὺς ἐμόγησε καὶ ἤρατο. τῷ δ' ἄρ' ἔμελλεν
αὐτῷ κήδε' ἔσεσθαι, ἐμοὶ δ' ἄχος αἰὲν ἄλαστον
κείνου, ὅπως δὴ δηρὸν ἀποίχεται, οὐδέ τι ἴδμεν,
ζώει ὅ γ' ἦ τέθνηκεν. ὀδύρονταί νύ που αὐτὸν   110
Λαέρτης θ' ὁ γέρων καὶ ἐχέφρων Πηνελόπεια
Τηλέμαχός θ', ὃν ἔλειπε νέον γεγαῶτ' ἐνὶ οἴκῳ."
ὣς φάτο, τῷ δ' ἄρα πατρὸς ὑφ' ἵμερον ὦρσε γόοιο.
δάκρυ δ' ἀπὸ βλεφάρων χαμάδις βάλε πατρὸς ἀκούσας,
χλαῖναν πορφυρέην ἄντ' ὀφθαλμοῖιν ἀνασχὼν   115
ἀμφοτέρῃσιν χερσί. νόησε δέ μιν Μενέλαος,
μερμήριξε δ' ἔπειτα κατὰ φρένα καὶ κατὰ θυμόν,
ἠέ μιν αὐτὸν πατρὸς ἐάσειε μνησθῆναι
ἦ πρῶτ' ἐξερέοιτο ἕκαστά τε πειρήσαιτο.

ἧος ὁ ταῦθ' ὥρμαινε κατὰ φρένα καὶ κατὰ θυμόν,   120
ἐκ δ' Ἑλένη θαλάμοιο θυώδεος ὑψορόφοιο
ἤλυθεν Ἀρτέμιδι χρυσηλακάτῳ ἐικυῖα.
τῇ δ' ἄρ' ἅμ' Ἀδρήστη κλισίην εὔτυκτον ἔθηκεν,
Ἀλκίππη δὲ τάπητα φέρεν μαλακοῦ ἐρίοιο,
Φυλὼ δ' ἀργύρεον τάλαρον φέρε, τόν οἱ ἔθηκεν   125
Ἀλκάνδρη, Πολύβοιο δάμαρ, ὃς ἔναι' ἐνὶ Θήβῃς
Αἰγυπτίῃς, ὅθι πλεῖστα δόμοις ἐν κτήματα κεῖται·
ὃς Μενελάῳ δῶκε δύ' ἀργυρέας ἀσαμίνθους,
δοιοὺς δὲ τρίποδας, δέκα δὲ χρυσοῖο τάλαντα.
χωρὶς δ' αὖθ' Ἑλένῃ ἄλοχος πόρε κάλλιμα δῶρα·   130
χρυσέην τ' ἠλακάτην τάλαρόν θ' ὑπόκυκλον ὄπασσεν
ἀργύρεον, χρυσῷ δ' ἐπὶ χείλεα κεκράαντο.
τόν ῥά οἱ ἀμφίπολος Φυλὼ παρέθηκε φέρουσα
νήματος ἀσκητοῖο βεβυσμένον· αὐτὰρ ἐπ' αὐτῷ
ἠλακάτη τετάνυστο ἰοδνεφὲς εἶρος ἔχουσα.   135
ἕζετο δ' ἐν κλισμῷ, ὑπὸ δὲ θρῆνυς ποσὶν ἦεν.
αὐτίκα δ' ἥ γ' ἐπέεσσι πόσιν ἐρέεινεν ἕκαστα·
"ἴδμεν δή, Μενέλαε διοτρεφές, οἵ τινες οἵδε
ἀνδρῶν εὐχετόωνται ἱκανέμεν ἡμέτερον δῶ;
ψεύσομαι ἦ ἔτυμον ἐρέω; κέλεται δέ με θυμός.   140
οὐ γάρ πώ τινά φημι ἐοικότα ὧδε ἰδέσθαι

amargurou tanto como Odisseu. Os trabalhos são
dele, os cuidados são meus. Sua ausência, ainda
que longa, não afeta a lembrança, esteja ele
vivo ou morto. Pranteiam-no, por certo, o velho   110
Laertes, a sábia Penélope e Telêmaco, ainda
menino quando partiu." O pai evocado agitou
desejos profundos, lágrimas rolaram pela face de
Telêmaco ao ouvir o nome do ausente. Ambas as
mãos esconderam o rosto enlutado atrás do manto   115
de púrpura. O gesto perturbou Menelau. O rei
incerto revolvia na mente e no peito o que via.
Deixaria ao jovem o cuidado de recordar o pai
ou conviria fazer-lhe perguntas, inquirir detalhes?

Enquanto essas inquietações lhe povoavam a mente,   120
desceu Helena do tálamo alto e arejado. Esplendia
nela o porte de Ártemis, a deusa das flechas. Adrasta
ofereceu-lhe uma poltrona soberanamente lavrada.
Alcipe estendeu-lhe tapetes de velo suave. Filo
alcançou-lhe o cestinho de prata, presente de Alcandra,   125
esposa de Pólibo, quando a rainha passou pela Tebas
egípcia, cidade em que conheceu casas renomadas.
De Pólibo Menelau recebeu banheiras de prata,
duas trípodes, mais dez talentos de ouro. A rainha
presenteou Helena ainda com outras maravilhas: uma   130
roca de ouro e um cestinho rodado, todo de prata,
áureas eram, no entanto, as bordas. Foi precisamente
este que a dedicada Filo ofereceu a Helena,
provido de fios elaborados, sobranceira fulgia
a roca, aparelhada de violáceo velo. Acomodada   135
na poltrona, Helena descansou os pés na banqueta.
Voltada ao marido, quis saber o que se passava:
"Já sabemos, querido Menelau, quem são os
homens que nos visitam, a glória que os distingue?
Estarei enganada, digo tolices? É impressionante!   140
Nunca vi ninguém mais parecido, nem homem nem

οὔτ' ἄνδρ' οὔτε γυναῖκα, σέβας μ' ἔχει εἰσορόωσαν,
ὡς ὅδ' Ὀδυσσῆος μεγαλήτορος υἷι ἔοικε,
Τηλεμάχῳ, τὸν ἔλειπε νέον γεγαῶτ' ἐνὶ οἴκῳ
κεῖνος ἀνήρ, ὅτ' ἐμεῖο κυνώπιδος εἵνεκ' Ἀχαιοὶ   145
ἤλθεθ' ὑπὸ Τροίην πόλεμον θρασὺν ὁρμαίνοντες."
τὴν δ' ἀπαμειβόμενος προσέφη ξανθὸς Μενέλαος·
"οὕτω νῦν καὶ ἐγὼ νοέω, γύναι, ὡς σὺ ἐίσκεις·
κείνου γὰρ τοιοίδε πόδες τοιαίδε τε χεῖρες
ὀφθαλμῶν τε βολαὶ κεφαλή τ' ἐφύπερθέ τε χαῖται.   150
καὶ νῦν ἦ τοι ἐγὼ μεμνημένος ἀμφ' Ὀδυσῆι
μυθεόμην, ὅσα κεῖνος ὀιζύσας ἐμόγησεν
ἀμφ' ἐμοί, αὐτὰρ ὁ πικρὸν ὑπ' ὀφρύσι δάκρυον εἶβε,
χλαῖναν πορφυρέην ἄντ' ὀφθαλμοῖιν ἀνασχών."
τὸν δ' αὖ Νεστορίδης Πεισίστρατος ἀντίον ηὔδα·   155
"Ἀτρεΐδη Μενέλαε διοτρεφές, ὄρχαμε λαῶν,
κείνου μέν τοι ὅδ' υἱὸς ἐτήτυμον, ὡς ἀγορεύεις·
ἀλλὰ σαόφρων ἐστί, νεμεσσᾶται δ' ἐνὶ θυμῷ
ὧδ' ἐλθὼν τὸ πρῶτον ἐπεσβολίας ἀναφαίνειν
ἄντα σέθεν, τοῦ νῶι θεοῦ ὣς τερπόμεθ' αὐδῇ.   160
αὐτὰρ ἐμὲ προέηκε Γερήνιος ἱππότα Νέστωρ
τῷ ἅμα πομπὸν ἕπεσθαι· ἐέλδετο γάρ σε ἰδέσθαι,
ὄφρα οἱ ἤ τι ἔπος ὑποθήσεαι ἠέ τι ἔργον.
πολλὰ γὰρ ἄλγε' ἔχει πατρὸς πάϊς οἰχομένοιο
ἐν μεγάροις, ᾧ μὴ ἄλλοι ἀοσσητῆρες ἔωσιν,   165
ὡς νῦν Τηλεμάχῳ ὁ μὲν οἴχεται, οὐδέ οἱ ἄλλοι
εἴσ' οἵ κεν κατὰ δῆμον ἀλάλκοιεν κακότητα."
τὸν δ' ἀπαμειβόμενος προσέφη ξανθὸς Μενέλαος·
"ὢ πόποι, ἦ μάλα δὴ φίλου ἀνέρος υἱὸς ἐμὸν δῶ
ἵκεθ', ὃς εἵνεκ' ἐμεῖο πολέας ἐμόγησεν ἀέθλους·   170
καί μιν ἔφην ἐλθόντα φιλησέμεν ἔξοχον ἄλλων
Ἀργείων, εἰ νῶιν ὑπεὶρ ἅλα νόστον ἔδωκε
νηυσὶ θοῇσι γενέσθαι Ὀλύμπιος εὐρύοπα Ζεύς.
καί κέ οἱ Ἄργεϊ νάσσα πόλιν καὶ δώματ' ἔτευξα,
ἐξ Ἰθάκης ἀγαγὼν σὺν κτήμασι καὶ τέκεϊ ᾧ   175
καὶ πᾶσιν λαοῖσι, μίαν πόλιν ἐξαλαπάξας,
αἳ περιναιετάουσιν, ἀνάσσονται δ' ἐμοὶ αὐτῷ.
καί κε θάμ' ἐνθάδ' ἐόντες ἐμισγόμεθ'· οὐδέ κεν ἡμέας

mulher – desculpa o espanto –, com Odisseu. Eu diria
até que tenho diante de mim Telêmaco, o filho do
esforçado herói, o menino que ele deixou em casa,
quando partistes contra Troia para sustentar luta   145
feroz por causa destes meus olhos de cadela."
Respondeu-lhe o loiro Menelau: "Tenho a mesma
impressão, meu bem, a semelhança é flagrante. Repara
o jeito dos pés, o movimento das mãos, a expressão
dos olhos, a cabeça, os cabelos. Odisseu não me   150
saía da lembrança. Meus lábios se moviam para
recordar o que o herói laborioso fizera por mim.
O jovem, tomando o manto com as duas mãos, tentou
esconder na púrpura as lágrimas que lhe brotavam
dos olhos." Falou Pisístrato, o Nestórida: "Menelau,   155
filho de Atreu, predileto de Zeus, general de exércitos,
tens razão, este é o filho legítimo de Odisseu. Perdoa-
-lhe o recato. Constrangido, evitou desdobrar, mal
chegado, considerações sobre si mesmo, em tua
augusta presença. Tua voz, de sonoridade divina, nos   160
deliciava. Ordenou-me Nestor, renomado condutor,
trazer Telêmaco até aqui. Meu amigo queria ver-te
na esperança de uma palavra, de um gesto teu. Como
filho de pai ausente, enfrenta muitas dificuldades em
sua casa. Não pode contar com ninguém. A situação   165
de Telêmaco é aflitiva. Filho de pai desaparecido,
entre o povo não há ninguém disposto a socorrê-lo."
Disse-lhe o loiro Menelau: "Vejam só, tenho na minha
casa o filho do homem a quem devo muitos e muitos
favores. Lhe garanti que, se um dia me procurasse,   170
teria provas de amizade profunda, superior a
de outros. Se na larga visão de Zeus nos fosse dado
o privilégio de, vencidas as ondas, volver aos nossos
lares, eu o abrigaria em Argos, eu lhe ofereceria uma
cidade, eu lhe construiria um palácio, eu o traria de   175
Ítaca com bens, filho e povo. Para tê-lo perto de mim,
eu evacuaria uma pólis minha. Teríamos então o prazer
da convivência frequente. Nada nos separaria, nada

ἄλλο διέκρινεν φιλέοντέ τε τερπομένω τε,
πρίν γ' ὅτε δὴ θανάτοιο μέλαν νέφος ἀμφεκάλυψεν.   180
ἀλλὰ τὰ μέν που μέλλεν ἀγάσσεσθαι θεὸς αὐτός,
ὃς κεῖνον δύστηνον ἀνόστιμον οἶον ἔθηκεν."
ὣς φάτο, τοῖσι δὲ πᾶσιν ὑφ' ἵμερον ὦρσε γόοιο.
κλαῖε μὲν Ἀργείη Ἑλένη, Διὸς ἐκγεγαυῖα,
κλαῖε δὲ Τηλέμαχός τε καὶ Ἀτρείδης Μενέλαος,   185
οὐδ' ἄρα Νέστορος υἱὸς ἀδακρύτω ἔχεν ὄσσε·
μνήσατο γὰρ κατὰ θυμὸν ἀμύμονος Ἀντιλόχοιο,
τόν ῥ' Ἠοῦς ἔκτεινε φαεινῆς ἀγλαὸς υἱός·
τοῦ ὅ γ' ἐπιμνησθεὶς ἔπεα πτερόεντ' ἀγόρευεν·
"Ἀτρείδη, περὶ μέν σε βροτῶν πεπνυμένον εἶναι   190
Νέστωρ φάσχ' ὁ γέρων, ὅτ' ἐπιμνησαίμεθα σεῖο
οἷσιν ἐνὶ μεγάροισι, καὶ ἀλλήλους ἐρέοιμεν.
καὶ νῦν, εἴ τί που ἔστι, πίθοιό μοι· οὐ γὰρ ἐγώ γε
τέρπομ' ὀδυρόμενος μεταδόρπιος, ἀλλὰ καὶ ἠὼς
ἔσσεται ἠριγένεια· νεμεσσῶμαί γε μὲν οὐδὲν   195
κλαίειν ὅς κε θάνησι βροτῶν καὶ πότμον ἐπίσπῃ.
τοῦτό νυ καὶ γέρας οἶον ὀϊζυροῖσι βροτοῖσιν,
κείρασθαί τε κόμην βαλέειν τ' ἀπὸ δάκρυ παρειῶν.
καὶ γὰρ ἐμὸς τέθνηκεν ἀδελφεός, οὔ τι κάκιστος
Ἀργείων· μέλλεις δὲ σὺ ἴδμεναι· οὐ γὰρ ἐγώ γε   200
ἤντησ' οὐδὲ ἴδον· περὶ δ' ἄλλων φασὶ γενέσθαι
Ἀντίλοχον, πέρι μὲν θείειν ταχὺν ἠδὲ μαχητήν."
τὸν δ' ἀπαμειβόμενος προσέφη ξανθὸς Μενέλαος·
"ὦ φίλ', ἐπεὶ τόσα εἶπες, ὅσ' ἂν πεπνυμένος ἀνὴρ
εἴποι καὶ ῥέξειε, καὶ ὃς προγενέστερος εἴη·   205
τοίου γὰρ καὶ πατρός, ὃ καὶ πεπνυμένα βάζεις,
ῥεῖα δ' ἀρίγνωτος γόνος ἀνέρος ᾧ τε Κρονίων
ὄλβον ἐπικλώσῃ γαμέοντί τε γεινομένῳ τε,
ὡς νῦν Νέστορι δῶκε διαμπερὲς ἤματα πάντα
αὐτὸν μὲν λιπαρῶς γηρασκέμεν ἐν μεγάροισιν,   210
υἱέας αὖ πινυτούς τε καὶ ἔγχεσιν εἶναι ἀρίστους.
ἡμεῖς δὲ κλαυθμὸν μὲν ἐάσομεν, ὃς πρὶν ἐτύχθη,
δόρπου δ' ἐξαῦτις μνησώμεθα, χερσὶ δ' ἐφ' ὕδωρ
χευάντων. μῦθοι δὲ καὶ ἠῶθέν περ ἔσονται
Τηλεμάχῳ καὶ ἐμοὶ διαειπέμεν ἀλλήλοισιν."   215

nos impediria de cultivar estima antiga, antes de
sermos envolvidos pela negra nuvem da morte. Creio   180
que a perspectiva de tal ventura tenha provocado
inveja à deidade que lhe nega agora o regresso."
As ponderações de Menelau alastraram a vontade de
chorar. Chorou a bela Helena, filha argiva de Zeus,
chorou Telêmaco, chorou Menelau. Sem lágrimas não   185
ficaram nem os olhos do filho de Nestor. Pesava-lhe
no peito a memória de Antíloco, o iluminado filho
da brilhante Aurora. Revolvendo essas lembranças,
voaram-lhe da boca estas palavras: "Filho de Atreu,
lembro que o venerável Nestor costumava dizer   190
– frequentavas nossa lembrança –, em inesquecíveis
conversas, que o mais sensato de todos eras tu. Agora,
se mereço atenção, escuta-me. Não consigo pensar
em iguarias na tristeza. A Aurora nos trará amanhã
um novo dia. Longe de mim reprovar que se chore   195
um mortal que desapareceu por decreto do destino.
Além de cortar o cabelo e banhar as faces em lágrimas,
que podemos fazer por sombras deploráveis? Também
eu perdi um irmão na guerra, e posso assegurar que não
foi o pior dos argivos. Quem pode confirmá-lo és tu.   200
Não conheci Antíloco. Consta que superava outros
tanto em velocidade quanto no manejo das armas." Não
tardou a resposta do louro Menelau: "Tuas palavras
lembram as de um homem experimentado. Declaro-te
bem mais ajuizado do que os moços de tua idade. Não   205
fazes injustiça a um homem avisado como teu pai. Não
raro a imagem do progenitor brilha no rebento, quando
este é favorecido pelo Cronida já ao nascer e, depois,
ao casar. Um desses é Nestor: dias venturosos sempre,
velhice tranquila em seu palácio, além de filhos sábios   210
e destros nos exercícios militares. Já é hora de pôr fim
a recordações dolorosas, que por tanto tempo nos
prenderam. Pensemos nas delícias da mesa. Retornemos
às abluções. Para entendimentos meus com Telêmaco,
temos amanhã o dia todo desde a primeira luz da Aurora."   215

ὣς ἔφατ', Ἀσφαλίων δ' ἄρ ὕδωρ ἐπὶ χεῖρας ἔχευεν,
ὀτρηρὸς θεράπων Μενελάου κυδαλίμοιο.
οἱ δ' ἐπ' ὀνείαθ' ἑτοῖμα προκείμενα χεῖρας ἴαλλον.
ἔνθ' αὖτ' ἄλλ' ἐνόησ' Ἑλένη Διὸς ἐκγεγαυῖα·
αὐτίκ' ἄρ' εἰς οἶνον βάλε φάρμακον, ἔνθεν ἔπινον,   220
νηπενθές τ' ἄχολόν τε, κακῶν ἐπίληθον ἁπάντων.
ὃς τὸ καταβρόξειεν, ἐπὴν κρητῆρι μιγείη,
οὔ κεν ἐφημέριός γε βάλοι κατὰ δάκρυ παρειῶν,
οὐδ' εἴ οἱ κατατεθναίη μήτηρ τε πατήρ τε,
οὐδ' εἴ οἱ προπάροιθεν ἀδελφεὸν ἢ φίλον υἱὸν   225
χαλκῷ δηιόῳεν, ὁ δ' ὀφθαλμοῖσιν ὁρῷτο.
τοῖα Διὸς θυγάτηρ ἔχε φάρμακα μητιόεντα,
ἐσθλά, τά οἱ Πολύδαμνα πόρεν, Θῶνος παράκοιτις
Αἰγυπτίη, τῇ πλεῖστα φέρει ζείδωρος ἄρουρα
φάρμακα, πολλὰ μὲν ἐσθλὰ μεμιγμένα πολλὰ δὲ λυγρά· 230
ἰητρὸς δὲ ἕκαστος ἐπιστάμενος περὶ πάντων
ἀνθρώπων· ἦ γὰρ Παιήονός εἰσι γενέθλης.
αὐτὰρ ἐπεί ῥ' ἐνέηκε κέλευσέ τε οἰνοχοῆσαι,
ἐξαῦτις μύθοισιν ἀμειβομένη προσέειπεν·
"Ἀτρεΐδη Μενέλαε διοτρεφὲς ἠδὲ καὶ οἵδε   235
ἀνδρῶν ἐσθλῶν παῖδες· ἀτὰρ θεὸς ἄλλοτε ἄλλῳ
Ζεὺς ἀγαθόν τε κακόν τε διδοῖ· δύναται γὰρ ἅπαντα·
ἦ τοι νῦν δαίνυσθε καθήμενοι ἐν μεγάροισι
καὶ μύθοις τέρπεσθε· ἐοικότα γὰρ καταλέξω.
πάντα μὲν οὐκ ἂν ἐγὼ μυθήσομαι οὐδ' ὀνομήνω,   240
ὅσσοι Ὀδυσσῆος ταλασίφρονός εἰσιν ἄεθλοι·
ἀλλ' οἷον τόδ' ἔρεξε καὶ ἔτλη καρτερὸς ἀνὴρ
δήμῳ ἔνι Τρώων, ὅθι πάσχετε πήματ' Ἀχαιοί.
αὐτόν μιν πληγῇσιν ἀεικελίῃσι δαμάσσας,
σπεῖρα κάκ' ἀμφ' ὤμοισι βαλών, οἰκῆι ἐοικώς,   245
ἀνδρῶν δυσμενέων κατέδυ πόλιν εὐρυάγυιαν·
ἄλλῳ δ' αὐτὸν φωτὶ κατακρύπτων ἤισκε,
δέκτῃ, ὃς οὐδὲν τοῖος ἔην ἐπὶ νηυσὶν Ἀχαιῶν.
τῷ ἴκελος κατέδυ Τρώων πόλιν, οἱ δ' ἀβάκησαν
πάντες· ἐγὼ δέ μιν οἴη ἀνέγνων τοῖον ἐόντα,   250

Mal o rei se calou, Asfálio, renomado em serviços,
verteu-lhe água sobre as mãos. Os demais avançaram
as palmas. Iguarias, em abundância, os aguardavam.
Ocorreu à filha de Zeus, Helena, outra providência:
deitou uma droga no vinho. Dor e azedume sumiram. 220
De trabalhos, fossem quais fossem, nem sombra.
A droga, lançada na cratera, tinha o poder de proteger
contra amarguras por um dia inteiro. Era eficaz em
pessoas entristecidas pela perda do pai ou da mãe.
Que digo? Confortava até enlutados pela perda de 225
um irmão ou de um filho ferido a ferro. Tamanho
era o poder dos narcóticos da filha de Zeus. Ela os
trouxera do Egito, presente de Polidamna, esposa
de Ton. O solo egípcio, riquíssimo em ervas, produz
plantas benéficas e nocivas. Todo egípcio é médico. Os 230
egípcios são mais instruídos que outros. Espanta?
Não ignoremos que descendem de Peon. Preparado
o vinho, Helena mandou servi-lo. Retomando a
palavra, ressoaram na sala as palavras da rainha:
"Menelau, tu que prosperas na força de Zeus, e vós 235
descendentes de ilustres, é certo que os bens e os
males, regidos por Zeus, atingem ora este, ora aquele.
Não pode tudo? Relatos gloriosos avivem o convívio
de nossos convidados. Espero encontrar a palavra
justa. Eu não seria capaz de narrar com precisão todos 240
os feitos do intrépido Odisseu. Limito-me a façanhas
desse guerreiro exemplar em Troia, feitos que o
imortalizaram no lugar de muitos padecimentos.
Ele se flagelou, deixando no corpo vergonhosas
estrias. Cobriu-se, então, com trapos, parecia um 245
escravo. Penetrou nos largos caminhos da cidade
com disfarce de mendigo. Parecia outro. Quem
suspeitaria que fosse um guerreiro argivo? O
embusteiro esgueirava-se, ludibriando todos,
menos a mim. Não conheci igual. Aproximei-me, 250

καί μιν ἀνηρώτων· ὁ δὲ κερδοσύνῃ ἀλέεινεν.
ἀλλ' ὅτε δή μιν ἐγὼ λόεον καὶ χρῖον ἐλαίῳ,
ἀμφὶ δὲ εἵματα ἕσσα καὶ ὤμοσα καρτερὸν ὅρκον
μὴ μὲν πρὶν Ὀδυσῆα μετὰ Τρώεσσ' ἀναφῆναι,
πρίν γε τὸν ἐς νῆάς τε θοὰς κλισίας τ' ἀφικέσθαι, 255
καὶ τότε δή μοι πάντα νόον κατέλεξεν Ἀχαιῶν.
πολλοὺς δὲ Τρώων κτείνας ταναήκεϊ χαλκῷ
ἦλθε μετ' Ἀργείους, κατὰ δὲ φρόνιν ἤγαγε πολλήν.
ἔνθ' ἄλλαι Τρῳαὶ λίγ' ἐκώκυον· αὐτὰρ ἐμὸν κῆρ
χαῖρ', ἐπεὶ ἤδη μοι κραδίη τέτραπτο νέεσθαι 260
ἂψ οἶκόνδ', ἄτην δὲ μετέστενον, ἣν Ἀφροδίτη
δῶχ', ὅτε μ' ἤγαγε κεῖσε φίλης ἀπὸ πατρίδος αἴης,
παῖδά τ' ἐμὴν νοσφισσαμένην θάλαμόν τε πόσιν τε
οὔ τευ δευόμενον, οὔτ' ἂρ φρένας οὔτε τι εἶδος."
τὴν δ' ἀπαμειβόμενος προσέφη ξανθὸς Μενέλαος· 265
"ναὶ δὴ ταῦτά γε πάντα, γύναι, κατὰ μοῖραν ἔειπες.
ἤδη μὲν πολέων ἐδάην βουλήν τε νόον τε
ἀνδρῶν ἡρώων, πολλὴν δ' ἐπελήλυθα γαῖαν·
ἀλλ' οὔ πω τοιοῦτον ἐγὼν ἴδον ὀφθαλμοῖσιν,
οἷν Ὀδυσσῆος ταλασίφρονος ἔσκε φίλον κῆρ. 270
οἷον καὶ τόδ' ἔρεξε καὶ ἔτλη καρτερὸς ἀνὴρ
ἵππῳ ἔνι ξεστῷ, ἵν' ἐνήμεθα πάντες ἄριστοι
Ἀργείων Τρώεσσι φόνον καὶ κῆρα φέροντες.
ἦλθες ἔπειτα σὺ κεῖσε· κελευσέμεναι δέ σ' ἔμελλε
δαίμων, ὃς Τρώεσσιν ἐβούλετο κῦδος ὀρέξαι· 275
καί τοι Δηΐφοβος θεοείκελος ἕσπετ' ἰούσῃ.
τρὶς δὲ περίστειξας κοῖλον λόχον ἀμφαφόωσα,
ἐκ δ' ὀνομακλήδην Δαναῶν ὀνόμαζες ἀρίστους,
πάντων Ἀργείων φωνὴν ἴσκουσ' ἀλόχοισιν.
αὐτὰρ ἐγὼ καὶ Τυδεΐδης καὶ δῖος Ὀδυσσεὺς 280
ἥμενοι ἐν μέσσοισιν ἀκούσαμεν ὡς ἐβόησας.
νῶϊ μὲν ἀμφοτέρω μενεήναμεν ὁρμηθέντε
ἢ ἐξελθέμεναι, ἢ ἔνδοθεν αἶψ' ὑπακοῦσαι·
ἀλλ' Ὀδυσεὺς κατέρυκε καὶ ἔσχεθεν ἱεμένω περ.
ἔνθ' ἄλλοι μὲν πάντες ἀκὴν ἔσαν υἷες Ἀχαιῶν, 285
Ἄντικλος δὲ σέ γ' οἶος ἀμείψασθαι ἐπέεσσιν
ἤθελεν. ἀλλ' Ὀδυσεὺς ἐπὶ μάστακα χερσὶ πίεζεν

minhas perguntas batiam em resistência evasiva.
Banhei-o, meus óleos rejuvenesceram-lhe a pele.
Revestido de vestes vistosas, me comprometi sob
juramento a não denunciar sua presença antes de
ele ganhar as naus, a proteção das barracas. Só 255
então expôs-me os planos. Portador de valiosas
informações, abriu caminho a ferro, imobilizou
guerreiros guapos, retornou às naus. Muitas troianas
prorromperam em pranto. Meu coração saltava de
alegria. No meu íntimo eu sonhava com o regresso. 260
Queria ver minha casa. Lamentava a loucura em
que Afrodite me abismara: arrancou-me da minha
terra, da minha filhinha, do meu leito, do meu
esposo, inferior a ninguém em inteligência e beleza."
Respondeu-lhe o Menelau dos cabelos dourados: 265
"Está bem, mulher. Falaste com muita propriedade.
Conheci o modo de pensar de muitos homens
de valor, muitas terras percorri, mas jamais me
apareceu ninguém diante dos olhos igual a Odisseu,
constante no afeto e resistente à dor. Incomparável, 270
concluiu no interior do cavalo de pau o trabalho por
ele ideado. Nós nos comprimíamos, os melhores,
para levar matança e ruína aos troianos. Chegaste
perto da máquina de guerra, a mando, quero crer,
de um deus empenhado em glorificar os troianos. 275
Tu mais Deífobo. Três vezes rodeaste o ventre
oco, e o apalpavas. Chamavas cada um dos heróis
pelo nome, chegaste ao requinte de imitar a voz
de cada uma das esposas deles. Impressionou-nos
o disfarce de tua voz: a mim, ao Tídida e ao divino 280
Odisseu, ali acocorados. Erguendo-nos, acometeu-
-nos o ímpeto de abandonar o esconderijo, o Tídida e
eu, ou de responder dali mesmo. Quem evitou
o desastre? Odisseu. Quem nos conteve foi ele.
Conseguiu manter calados os outros. Antíloco foi 285
o único rebelde. Mal esboçou movimento de lábios,
Odisseu tapou-lhe a boca com as mãos. Graças ao

νωλεμέως κρατερῇσι, σάωσε δὲ πάντας Ἀχαιούς·
τόφρα δ' ἔχ', ὄφρα σε νόσφιν ἀπήγαγε Παλλὰς Ἀθήνη."
τὸν δ' αὖ Τηλέμαχος πεπνυμένος ἀντίον ηὔδα· 290
"Ἀτρεΐδη Μενέλαε διοτρεφές, ὄρχαμε λαῶν,
ἄλγιον· οὐ γάρ οἵ τι τάδ' ἤρκεσε λυγρὸν ὄλεθρον,
οὐδ' εἴ οἱ κραδίη γε σιδηρέη ἔνδοθεν ἦεν.
ἀλλ' ἄγετ' εἰς εὐνὴν τράπεθ' ἡμέας, ὄφρα καὶ ἤδη
ὕπνῳ ὕπο γλυκερῷ ταρπώμεθα κοιμηθέντες." 295
ὣς ἔφατ', Ἀργείη δ' Ἑλένη δμῳῇσι κέλευσεν
δέμνι' ὑπ' αἰθούσῃ θέμεναι καὶ ῥήγεα καλὰ
πορφύρε' ἐμβαλέειν στορέσαι τ' ἐφύπερθε τάπητας,
χλαίνας τ' ἐνθέμεναι οὔλας καθύπερθεν ἔσασθαι.
αἱ δ' ἴσαν ἐκ μεγάροιο δάος μετὰ χερσὶν ἔχουσαι, 300
δέμνια δὲ στόρεσαν· ἐκ δὲ ξείνους ἄγε κῆρυξ.
οἱ μὲν ἄρ' ἐν προδόμῳ δόμου αὐτόθι κοιμήσαντο,
Τηλέμαχός θ' ἥρως καὶ Νέστορος ἀγλαὸς υἱός·
Ἀτρεΐδης δὲ καθεῦδε μυχῷ δόμου ὑψηλοῖο,
πὰρ δ' Ἑλένη τανύπεπλος ἐλέξατο, δῖα γυναικῶν. 305

ἦμος δ' ἠριγένεια φάνη ῥοδοδάκτυλος Ἠώς,
ὤρνυτ' ἄρ' ἐξ εὐνῆφι βοὴν ἀγαθὸς Μενέλαος
εἵματα ἑσσάμενος, περὶ δὲ ξίφος ὀξὺ θέτ' ὤμῳ,
ποσσὶ δ' ὑπὸ λιπαροῖσιν ἐδήσατο καλὰ πέδιλα,
βῆ δ' ἴμεν ἐκ θαλάμοιο θεῷ ἐναλίγκιος ἄντην, 310
Τηλεμάχῳ δὲ παρῖζεν, ἔπος τ' ἔφατ' ἔκ τ' ὀνόμαζεν·
"τίπτε δέ σε χρειὼ δεῦρ' ἤγαγε, Τηλέμαχ' ἥρως,
ἐς Λακεδαίμονα δῖαν, ἐπ' εὐρέα νῶτα θαλάσσης;
δήμιον ἦ ἴδιον; τόδε μοι νημερτὲς ἐνίσπες."
τὸν δ' αὖ Τηλέμαχος πεπνυμένος ἀντίον ηὔδα· 315
"Ἀτρεΐδη Μενέλαε διοτρεφές, ὄρχαμε λαῶν,
ἤλυθον, εἴ τινά μοι κληηδόνα πατρὸς ἐνίσποις.
ἐσθίεταί μοι οἶκος, ὄλωλε δὲ πίονα ἔργα,
δυσμενέων δ' ἀνδρῶν πλεῖος δόμος, οἵ τέ μοι αἰεὶ
μῆλ' ἀδινὰ σφάζουσι καὶ εἰλίποδας ἕλικας βοῦς, 320
μητρὸς ἐμῆς μνηστῆρες ὑπέρβιον ὕβριν ἔχοντες.
τοὔνεκα νῦν τὰ σὰ γούναθ' ἱκάνομαι, αἴ κ' ἐθέλῃσθα

Filho de Laertes, salvaram-se todos os aqueus.
Dominou o indócil até que Palas Atena se dignou a
levar-te para longe." Ouviu-se, então, a palavra do 290
arguto Telêmaco: "Protegido por Zeus, Átrida,
condutor de povos, lastimo que o talento não o
tenha livrado do fim feroz. O que lhe valeu o coração
de ferro? Permite que me conduzam, rogo-te, ao
meu leito. Um doce repouso me restaurará as forças." 295
Serviçais receberam ordens de Helena para lhe
prepararem o leito em uma das galerias: colchões,
providos de almofadas purpurinas, aconchegantes
acolchoados. Lençóis lanosos completavam as
providências. Tochas em mãos amigas iluminaram 300
o caminho. Um arauto orientava-lhe os passos.
Prontos partiram ao pórtico, sedentos de sono, ambos
os jovens: o talentoso Telêmaco e o filho de Nestor.
O Átrida retirou-se aos seus aposentos ao lado
de Helena de peplos pomposos, entre damas, divina. 305

Subia a Aurora dos dedos rosados, ressoou a voz
imperante do rei. Menelau erguia-se do leito. Sobre
a veste vistosa pendia-lhe a espada nos ombros,
sandálias protegiam-lhe a pele sensível dos pés.
Os passos do rei procuraram os hóspedes. 310
Acomodando-se ao lado de Telêmaco falou-lhe:
"Caro Telêmaco, o que te trouxe para esta terra?
Não foi por nada que os largos e líquidos ombros
do mar te carregaram. O que te aflige? Dificuldades
do teu povo, próprias? Fala sem receio." Telêmaco 315
respondeu ponderado: "Menelau, Zeus te protege,
pertences à casa de Atreu, mandas em muitos. Podes
informar-me sobre meu pai? Devoram meus bens,
infestam minha casa, abatem minhas ovelhas,
abundantes outrora. Dia por dia, mingua o número 320
de cascos. Dizem-se pretendentes à mão de minha
mãe. Já não sei o que fazer. Abraçado a teus joelhos,

κείνου λυγρὸν ὄλεθρον ἐνισπεῖν, εἴ που ὄπωπας
ὀφθαλμοῖσι τεοῖσιν ἢ ἄλλου μῦθον ἄκουσας
πλαζομένου· περὶ γάρ μιν ὀιζυρὸν τέκε μήτηρ. 325
μηδέ τί μ' αἰδόμενος μειλίσσεο μηδ' ἐλεαίρων,
ἀλλ' εὖ μοι κατάλεξον ὅπως ἤντησας ὀπωπῆς.
λίσσομαι, εἴ ποτέ τοί τι πατὴρ ἐμός, ἐσθλὸς Ὀδυσσεὺς
ἢ ἔπος ἠέ τι ἔργον ὑποστὰς ἐξετέλεσσε
δήμῳ ἔνι Τρώων, ὅθι πάσχετε πήματ' Ἀχαιοί, 330
τῶν νῦν μοι μνῆσαι, καί μοι νημερτὲς ἐνίσπες."
τὸν δὲ μέγ' ὀχθήσας προσέθη ξανθὸς Μενέλαος·
"ὦ πόποι, ἦ μάλα δὴ κρατερόφρονος ἀνδρὸς ἐν εὐνῇ
ἤθελον εὐνηθῆναι ἀνάλκιδες αὐτοὶ ἐόντες.
ὡς δ' ὁπότ' ἐν ξυλόχῳ ἔλαφος κρατεροῖο λέοντος 335
νεβροὺς κοιμήσασα νεηγενέας γαλαθηνοὺς
κνημοὺς ἐξερέῃσι καὶ ἄγκεα ποιήεντα
βοσκομένη, ὁ δ' ἔπειτα ἑὴν εἰσήλυθεν εὐνήν,
ἀμφοτέροισι δὲ τοῖσιν ἀεικέα πότμον ἐφῆκεν,
ὣς Ὀδυσεὺς κείνοισιν ἀεικέα πότμον ἐφήσει. 340
αἲ γάρ, Ζεῦ τε πάτερ καὶ Ἀθηναίη καὶ Ἄπολλον,
τοῖος ἐών, οἷός ποτ' ἐυκτιμένῃ ἐνὶ Λέσβῳ
ἐξ ἔριδος Φιλομηλεΐδῃ ἐπάλαισεν ἀναστάς,
κὰδ δ' ἔβαλε κρατερῶς, κεχάροντο δὲ πάντες Ἀχαιοί,
τοῖος ἐὼν μνηστῆρσιν ὁμιλήσειεν Ὀδυσσεύς· 345
πάντες κ' ὠκύμοροί τε γενοίατο πικρόγαμοί τε.
ταῦτα δ' ἅ μ' εἰρωτᾷς καὶ λίσσεαι, οὐκ ἂν ἐγώ γε
ἄλλα παρὲξ εἴποιμι παρακλιδόν, οὐδ' ἀπατήσω,
ἀλλὰ τὰ μέν μοι ἔειπε γέρων ἅλιος νημερτής,
τῶν οὐδέν τοι ἐγὼ κρύψω ἔπος οὐδ' ἐπικεύσω. 350
"Αἰγύπτῳ μ' ἔτι δεῦρο θεοὶ μεμαῶτα νέεσθαι
ἔσχον, ἐπεὶ οὔ σφιν ἔρεξα τεληέσσας ἑκατόμβας.
οἱ δ' αἰεὶ βούλοντο θεοὶ μεμνῆσθαι ἐφετμέων.
νῆσος ἔπειτά τις ἔστι πολυκλύστῳ ἐνὶ πόντῳ
Αἰγύπτου προπάροιθε, Φάρον δέ ἑ κικλήσκουσι, 355
τόσσον ἄνευθ' ὅσσον τε πανημερίη γλαφυρὴ νηῦς
ἤνυσεν, ᾗ λιγὺς οὖρος ἐπιπνείῃσιν ὄπισθεν·
ἐν δὲ λιμὴν εὔορμος, ὅθεν τ' ἀπὸ νῆας ἐΐσας
ἐς πόντον βάλλουσιν, ἀφυσσάμενοι μέλαν ὕδωρ.

imploro. Quero que me fales sobre o fim dele.
Viste-o sumir com teus próprios olhos? Alguém te
trouxe notícias de seu paradeiro? Devemos crer que   325
a mãe o tenha gerado para dias de tormento? Não
quero afagos. Não procuro piedade. Conta-me o
que sabes, o que viste. Este é meu pedido: se esse
homem incomparável te favoreceu, um dia, em atos
ou em palavras, no ardor da peleja, no aperto, em   330
nome de gratas lembranças, rogo-te, dá-me as
informações que procuro." Excitado, interveio o rei:
"Pelos céus! Esses fracotes querem deitar-se
no leito de um herói? Imaginemos: uma corça deixa
seus filhotes, recém-nascidos, não desmamados,   335
adormecidos na caverna de um leão indomável.
Ela percorre cerros e vales ervados em busca
de alimento, o leão retorna para ocupar o abrigo.
Não porá fim ao bando: mãe e crias? Prepare-se
a corja! Odisseu os premiará com a morte. Invoco   340
Zeus Pai, invoco Atena, invoco Apolo. Que venha
Odisseu, com a força que abateu Filomelida em Lesbos.
Agarrou o adversário com raiva. A terra tremeu
ao impacto do corpo. Os aqueus uivaram de alegria.
Que Odisseu irrompa assim contra os insolentes!   345
Para pretendente desaforado matrimônio azarado!
Voltemos ao teu pedido. Não te direi nada que eu
mesmo não tenha vivido. Não partirás ludibriado.
Saberás das palavras do Velho do Mar, ser honesto.
Contarei por miúdo, ponto por ponto, sem rodeios.   350
Voltar para casa, eu só pensava nisso, mas fui detido
no Egito. A culpa foi minha. Eu me esquecera de
oferecer uma hecatombe. Os deuses não perdoam,
querem ser lembrados sempre. Encontrei uma ilha no
mar dos bramidos bravios, próxima do Egito. Faros   355
é o nome que lhe deram. Uma nau bem-aparelhada
consegue vencer a distância que a separa da costa num
só dia, desde que os ventos sejam favoráveis. Bom
porto e bom ancoradouro. Navios buscam ali

ἔνθα μ' ἐείκοσιν ἤματ' ἔχον θεοί, οὐδέ ποτ' οὖροι 360
πνείοντες φαίνονθ' ἁλιαέες, οἵ ῥά τε νηῶν
πομπῆες γίγνονται ἐπ' εὐρέα νῶτα θαλάσσης.
καί νύ κεν ἤια πάντα κατέφθιτο καὶ μένε' ἀνδρῶν,
εἰ μή τίς με θεῶν ὀλοφύρατο καί μ' ἐσάωσε,
Πρωτέος ἰφθίμου θυγάτηρ ἁλίοιο γέροντος, 365
Εἰδοθέη· τῇ γάρ ῥα μάλιστά γε θυμὸν ὄρινα.
ἥ μ' οἴῳ ἔρροντι συνήντετο νόσφιν ἑταίρων·
αἰεὶ γὰρ περὶ νῆσον ἀλώμενοι ἰχθυάασκον
γναμπτοῖς ἀγκίστροισιν, ἔτειρε δὲ γαστέρα λιμός.
ἡ δέ μευ ἄγχι στᾶσα ἔπος φάτο φώνησέν τε· 370
"'νήπιός εἰς, ὦ ξεῖνε, λίην τόσον ἠδὲ χαλίφρων,
ἦε ἑκὼν μεθίεις καὶ τέρπεαι ἄλγεα πάσχων;
ὡς δὴ δήθ' ἐνὶ νήσῳ ἐρύκεαι, οὐδέ τι τέκμωρ
εὑρέμεναι δύνασαι, μινύθει δέ τοι ἦτορ ἑταίρων.'"
"ὣς ἔφατ', αὐτὰρ ἐγώ μιν ἀμειβόμενος προσέειπον· 375
'ἐκ μέν τοι ἐρέω, ἥ τις σύ πέρ ἐσσι θεάων,
ὡς ἐγὼ οὔ τι ἑκὼν κατερύκομαι, ἀλλά νυ μέλλω
ἀθανάτους ἀλιτέσθαι, οἳ οὐρανὸν εὐρὺν ἔχουσιν.
ἀλλὰ σύ πέρ μοι εἰπέ, θεοὶ δέ τε πάντα ἴσασιν,
ὅς τίς μ' ἀθανάτων πεδάᾳ καὶ ἔδησε κελεύθου, 380
νόστον θ', ὡς ἐπὶ πόντον ἐλεύσομαι ἰχθυόεντα.'
"ὣς ἐφάμην, ἡ δ' αὐτίκ' ἀμείβετο δῖα θεάων·
'τοιγὰρ ἐγώ τοι, ξεῖνε, μάλ' ἀτρεκέως ἀγορεύσω.
πωλεῖταί τις δεῦρο γέρων ἅλιος νημερτὴς
ἀθάνατος Πρωτεὺς Αἰγύπτιος, ὅς τε θαλάσσης 385
πάσης βένθεα οἶδε, Ποσειδάωνος ὑποδμώς·
τὸν δέ τ' ἐμόν φασιν πατέρ' ἔμμεναι ἠδὲ τεκέσθαι.
τόν γ' εἴ πως σὺ δύναιο λοχησάμενος λελαβέσθαι,
ὅς κέν τοι εἴπῃσιν ὁδὸν καὶ μέτρα κελεύθου
νόστον θ', ὡς ἐπὶ πόντον ἐλεύσεαι ἰχθυόεντα. 390
καὶ δέ κέ τοι εἴπῃσι, διοτρεφές, αἴ κ' ἐθέλῃσθα,
ὅττι τοι ἐν μεγάροισι κακόν τ' ἀγαθόν τε τέτυκται
οἰχομένοιο σέθεν δολιχὴν ὁδὸν ἀργαλέην τε.'
"ὣς ἔφατ', αὐτὰρ ἐγώ μιν ἀμειβόμενος προσέειπον·
'αὐτὴ νῦν φράζευ σὺ λόχον θείοιο γέροντος, 395

água colhida em fonte sombria, antes de se fazerem 360
ao mar. Lá os deuses me prenderam por vinte dias.
Rajada nenhuma movia as velas. Sem a força dos
ventos, como deslizariam os cascos? A calmaria
consumia meus suprimentos e o empenho dos meus
homens. Contei, por fim, com a misericórdia de
uma deusa, Idoteia, filha de Proteu, o Velho do Mar. 365
Meus tormentos a comoveram. Ela se aproximou
de mim, longe dos meus companheiros. Andavam
pela ilha pescando. Curvavam estiletes de ferro
para fazer anzóis. Quem resiste a exigências do
estômago? Fala-me a ninfa com voz amiga: 370
'Não me pareces tolo, nem lerdo. Contratempos
te arrastam? Gostas de sofrer? Há quanto tempo
já estás nesta ilha? Não encontras jeito de sair?
Tua gente caiu no desânimo?' Em resposta a
essa voz solícita, falei: 'Quem sejas eu não sei. 375
Uma deusa? Não importa, saberás o que se passa
comigo. Não me creias aqui por minha vontade.
Ofendi algum dos imortais? O domínio do céu
é deles. Responde-me, os deuses não sabem tudo?
Quem me ferrou? Quem dos divinos retarda meu 380
retorno? Como atravessar estas águas povoadas de
peixes?' Minhas aflições não ficaram sem resposta:
'Terás de mim, estrangeiro, palavra honesta. Vem
a este lugar o Velho do Mar. Ele não mente. Falo
de Proteu, o egípcio. De águas, sabe tudo, qualquer 385
recanto. Consideram-no companheiro de Posidon.
Admira? Consta que sou filha dele. Se com truques
conseguires prendê-lo, ele te indicará o caminho
e a distância que ainda tens a percorrer para vencer
este território de peixes, o mar salgado. Digo-te mais, 390
caso queiras saber o que aconteceu em tua casa, de
bom ou mau, durante tua longa e penosa ausência,
a um pedido teu, ele o relatará.' Tendo ouvido
essas generosas palavras, insisti: 'Gostaria de saber
com que armadilha prender este Velho prodigioso. 395

μή πώς με προϊδὼν ἠὲ προδαεὶς ἀλέηται·
ἀργαλέος γάρ τ' ἐστὶ θεὸς βροτῷ ἀνδρὶ δαμῆναι.'
"ὣς ἐφάμην, ἡ δ' αὐτίκ' ἀμείβετο δῖα θεάων·
'τοιγὰρ ἐγώ τοι, ξεῖνε, μάλ' ἀτρεκέως ἀγορεύσω.
ἦμος δ' ἠέλιος μέσον οὐρανὸν ἀμφιβεβήκῃ,   400
τῆμος ἄρ' ἐξ ἁλὸς εἶσι γέρων ἅλιος νημερτὴς
πνοιῇ ὕπο Ζεφύροιο μελαίνῃ φρικὶ καλυφθείς,
ἐκ δ' ἐλθὼν κοιμᾶται ὑπὸ σπέσσι γλαφυροῖσιν·
ἀμφὶ δέ μιν φῶκαι νέποδες καλῆς ἁλοσύδνης
ἀθρόαι εὕδουσιν, πολιῆς ἁλὸς ἐξαναδῦσαι,   405
πικρὸν ἀποπνείουσαι ἁλὸς πολυβενθέος ὀδμήν.
ἔνθα σ' ἐγὼν ἀγαγοῦσα ἅμ' ἠοῖ φαινομένηφιν
εὐνάσω ἑξείης· σὺ δ' ἐῢ κρίνασθαι ἑταίρους
τρεῖς, οἵ τοι παρὰ νηυσὶν ἐϋσσέλμοισιν ἄριστοι.
πάντα δέ τοι ἐρέω ὀλοφώϊα τοῖο γέροντος.   410
φώκας μέν τοι πρῶτον ἀριθμήσει καὶ ἔπεισιν·
αὐτὰρ ἐπὴν πάσας πεμπάσσεται ἠδὲ ἴδηται,
λέξεται ἐν μέσσῃσι νομεὺς ὣς πώεσι μήλων.
τὸν μὲν ἐπὴν δὴ πρῶτα κατευνηθέντα ἴδησθε,
καὶ τότ' ἔπειθ' ὑμῖν μελέτω κάρτος τε βίη τε,   415
αὖθι δ' ἔχειν μεμαῶτα καὶ ἐσσύμενόν περ ἀλύξαι.
πάντα δὲ γιγνόμενος πειρήσεται, ὅσσ' ἐπὶ γαῖαν
ἑρπετὰ γίγνονται, καὶ ὕδωρ καὶ θεσπιδαὲς πῦρ·
ὑμεῖς δ' ἀστεμφέως ἐχέμεν μᾶλλόν τε πιέζειν.
ἀλλ' ὅτε κεν δή σ' αὐτὸς ἀνείρηται ἐπέεσσι,   420
τοῖος ἐὼν οἷόν κε κατευνηθέντα ἴδησθε,
καὶ τότε δὴ σχέσθαι τε βίης λῦσαί τε γέροντα,
ἥρως, εἴρεσθαι δέ, θεῶν ὅς τίς σε χαλέπτει,
νόστον θ', ὡς ἐπὶ πόντον ἐλεύσεαι ἰχθυόεντα.'
"ὣς εἰποῦσ' ὑπὸ πόντον ἐδύσετο κυμαίνοντα.   425
αὐτὰρ ἐγὼν ἐπὶ νῆας, ὅθ' ἕστασαν ἐν ψαμάθοισιν,
ἤϊα· πολλὰ δέ μοι κραδίη πόρφυρε κιόντι.
αὐτὰρ ἐπεί ῥ' ἐπὶ νῆα κατήλυθον ἠδὲ θάλασσαν,
δόρπον θ' ὁπλισάμεσθ', ἐπί τ' ἤλυθεν ἀμβροσίη νύξ·
δὴ τότε κοιμήθημεν ἐπὶ ῥηγμῖνι θαλάσσης.   430
ἦμος δ' ἠριγένεια φάνη ῥοδοδάκτυλος Ἠώς,
καὶ τότε δὴ παρὰ θῖνα θαλάσσης εὐρυπόροιο

Temo que, ao me ver, sabendo quem sou, trate de
evadir-se. Dominar um imortal não é sopa.' A
resposta da distinta não tardou: 'Terás, meu caro,
informação segura. Sempre que o sol alcança a
metade de sua rota celeste, o Velho deixa seus 400
domínios marítimos, e se dirige, ao sopro do zéfiro
brumoso, a uma caverna profunda, lugar de repouso.
Focas, nascidas da Rainha do Mar, cercam-no,
é seu rebanho. Procuram com ele o conforto
do sono. Emergindo das profundezas tenebrosas, as 405
focas aspiram o amargo odor das águas sombrias.
Para lá te conduzirei ao clarão da Aurora e te
incorporarás ao grupo. Dos que trazes na frota,
escolhe três, os melhores, tua escolta. Te revelo
todos os recursos do Velho. Eles assustam. Passa 410
primeiro em revista as focas. Conferidas nos dedos,
e distribuídas em grupos de cinco, elege um lugar
para dormir. Lembra o guardador e seu redil. Quando
o perceberes adormecido, chegou a hora da força,
tua e a dos teus. O trabalho requer vigor. Segurem-no 415
firme, ele tentará escapar por todos os meios.
Procurará transformar-se em tudo o que se move
na face da terra, sem esquecer o fluir das águas e o
tremular das chamas. Não fraquejem! É preciso
imobilizá-lo. Quando ele mesmo te dirigir a palavra 420
e voltar a ser o que foi quando se recolheu para
dormir, cesse a violência. Larguem o Velho.
Pergunta-lhe qual dos deuses te amargura a vida
e que rota deverás seguir para retornar à tua terra.'
Com estas ponderações, a ninfa submergiu nas ondas. 425
Voltei ao lugar em que tinha firmado meus barcos.
Caminhava de coração agitado. Deixei que os pés
me levassem. Preparamos a ceia, pois já vinha
a noite, a imorredoura. Dormimos sobre as rochas
em que se quebram as ondas bravias. Quando a 430
Aurora riscou o horizonte com seus dedos róseos,
eu já pisava as fofas areias lavadas pelas ondas.

ἤια πολλὰ θεοὺς γουνούμενος: αὐτὰρ ἑταίρους
τρεῖς ἄγον, οἷσι μάλιστα πεποίθεα πᾶσαν ἐπ' ἰθύν.
"τόφρα δ' ἄρ' ἥ γ' ὑποδῦσα θαλάσσης εὐρέα κόλπον   435
τέσσαρα φωκάων ἐκ πόντου δέρματ' ἔνεικε:
πάντα δ' ἔσαν νεόδαρτα: δόλον δ' ἐπεμήδετο πατρί.
εὐνὰς δ' ἐν ψαμάθοισι διαγλάψασ' ἁλίῃσιν
ἧστο μένουσ': ἡμεῖς δὲ μάλα σχεδὸν ἤλθομεν αὐτῆς:
ἑξείης δ' εὔνησε, βάλεν δ' ἐπὶ δέρμα ἑκάστῳ.   440
ἔνθα κεν αἰνότατος λόχος ἔπλετο: τεῖρε γὰρ αἰνῶς
φωκάων ἁλιοτρεφέων ὀλοώτατος ὀδμή:
τίς γάρ κ' εἰναλίῳ παρὰ κήτεϊ κοιμηθείη;
ἀλλ' αὐτὴ ἐσάωσε καὶ ἐφράσατο μέγ' ὄνειαρ:
ἀμβροσίην ὑπὸ ῥῖνα ἑκάστῳ θῆκε φέρουσα   445
ἡδὺ μάλα πνείουσαν, ὄλεσσε δὲ κήτεος ὀδμήν.
πᾶσαν δ' ἠοίην μένομεν τετληότι θυμῷ:
φῶκαι δ' ἐξ ἁλὸς ἦλθον ἀολλέες. αἱ μὲν ἔπειτα
ἑξῆς εὐνάζοντο παρὰ ῥηγμῖνι θαλάσσης:
ἔνδιος δ' ὁ γέρων ἦλθ' ἐξ ἁλός, εὗρε δὲ φώκας   450
ζατρεφέας, πάσας δ' ἄρ' ἐπῴχετο, λέκτο δ' ἀριθμόν:
ἐν δ' ἡμέας πρώτους λέγε κήτεσιν, οὐδέ τι θυμῷ
ὠΐσθη δόλον εἶναι: ἔπειτα δὲ λέκτο καὶ αὐτός.
ἡμεῖς δὲ ἰάχοντες ἐπεσσύμεθ', ἀμφὶ δὲ χεῖρας
βάλλομεν: οὐδ' ὁ γέρων δολίης ἐπελήθετο τέχνης,   455
ἀλλ' ἦ τοι πρώτιστα λέων γένετ' ἠυγένειος,
αὐτὰρ ἔπειτα δράκων καὶ πάρδαλις ἠδὲ μέγας σῦς:
γίγνετο δ' ὑγρὸν ὕδωρ καὶ δένδρεον ὑψιπέτηλον:
ἡμεῖς δ' ἀστεμφέως ἔχομεν τετληότι θυμῷ.
ἀλλ' ὅτε δή ῥ' ἀνίαζ' ὁ γέρων ὀλοφώια εἰδώς,   460
καὶ τότε δή μ' ἐπέεσσιν ἀνειρόμενος προσέειπε:
"'τίς νύ τοι, Ἀτρέος υἱέ, θεῶν συμφράσσατο βουλάς,
ὄφρα μ' ἕλοις ἀέκοντα λοχησάμενος; τέο σε χρή;'
"ὣς ἔφατ', αὐτὰρ ἐγώ μιν ἀμειβόμενος προσέειπον:
'οἶσθα, γέρον, τί με ταῦτα παρατροπέων ἐρεείνεις;   465
ὡς δὴ δήθ' ἐνὶ νήσῳ ἐρύκομαι, οὐδέ τι τέκμωρ
εὑρέμεναι δύναμαι, μινύθει δέ μοι ἔνδοθεν ἦτορ.
ἀλλὰ σύ πέρ μοι εἰπέ, θεοὶ δέ τε πάντα ἴσασιν,
ὅς τίς μ' ἀθανάτων πεδάᾳ καὶ ἔδησε κελεύθου,

Meus joelhos se dobraram em prece. Três
companheiros, familiarizados com meus intentos,
me acompanhavam. Idoteia, ao submergir no seio   435
acolhedor, enviou-nos as peles de quatro focas,
recém sacrificadas. As peles enganariam o Velho,
pai dela. A deusa cavou covas ao longo da praia
e nos aguardou sentada. Quando nos aproximamos,
ela nos acomodou, um em cada cova, e nos cobriu   440
com as peles. Cômoda a tocaia não foi. O cheiro
nascido das ondas tonteava. Fedor de matar! Quem
repousaria no conforto junto a um monstro marinho?
Ela, entretanto, providenciou um remédio de grande
eficácia. Untou de ambrosia o lábio superior de   445
cada um de nós. Passamos a respirar ares divinos. Do
ranço, nem rastro. Aguentamos decididos até o dia
clarear. As focas, deixando as águas, enfileiraram-se
em ordem ao longo da praia. Ao meio-dia emergiu
das águas o Velho. Passou em revista os corpos   450
nutridos. Inspecionou todas, confirmando o número.
A inspeção começou por nós. O ardil nem lhe passou
pela cabeça. Deitou-se por fim. Erguemo-nos, aos
gritos. Tentamos prendê-lo nos braços. Ao Velho
não faltaram virtudes nem reserva de artimanhas.   455
Apareceram as jubas de leão. Vieram, depois, os anéis
de dragão, veio a pantera, veio o javali, dos grandes.
Transformou-se em água corrente, árvore copada.
Mas nós, de férrea determinação, não o largamos. Por
fim, o Velho, versado em truques, cansou. Encarou-me   460
e perguntou: 'Quem, filho de Atreu, foi, entre
os deuses, teu conselheiro? Por que traiçoeiramente
me atacaste? O que queres?' Não deixei sem resposta
as perguntas: 'Nada ignoras, Velho. Por que me vens
com esse palavrório? Estou preso nesta porcaria de ilha   465
um montão de dias. Não encontro saída. Meu coração
começa a fraquejar. Quero saber de ti – os deuses
não sabem tudo? – isto: Qual dos divinos se pôs no
meu caminho? Quem embaraçou meu regresso? Por que

νόστον θ', ὡς ἐπὶ πόντον ἐλεύσομαι ἰχθυόεντα.' 470
"ὣς ἐφάμην, ὁ δέ μ' αὐτίκ' ἀμειβόμενος προσέειπεν:
'ἀλλὰ μάλ' ὤφελλες Διί τ' ἄλλοισίν τε θεοῖσι
ῥέξας ἱερὰ κάλ' ἀναβαινέμεν, ὄφρα τάχιστα
σὴν ἐς πατρίδ' ἵκοιο πλέων ἐπὶ οἴνοπα πόντον.
οὐ γάρ τοι πρὶν μοῖρα φίλους τ' ἰδέειν καὶ ἱκέσθαι 475
οἶκον ἐυκτίμενον καὶ σὴν ἐς πατρίδα γαῖαν,
πρίν γ' ὅτ' ἂν Αἰγύπτοιο, διιπετέος ποταμοῖο,
αὖτις ὕδωρ ἔλθῃς ῥέξῃς θ' ἱερὰς ἑκατόμβας
ἀθανάτοισι θεοῖσι, τοὶ οὐρανὸν εὐρὺν ἔχουσι:
καὶ τότε τοι δώσουσιν ὁδὸν θεοί, ἣν σὺ μενοινᾷς.' 480
"ὣς ἔφατ', αὐτὰρ ἐμοί γε κατεκλάσθη φίλον ἦτορ,
οὕνεκά μ' αὖτις ἄνωγεν ἐπ' ἠεροειδέα πόντον
Αἴγυπτόνδ' ἰέναι, δολιχὴν ὁδὸν ἀργαλέην τε.
ἀλλὰ καὶ ὧς μύθοισιν ἀμειβόμενος προσέειπον:
"'ταῦτα μὲν οὕτω δὴ τελέω, γέρον, ὡς σὺ κελεύεις. 485
ἀλλ' ἄγε μοι τόδε εἰπὲ καὶ ἀτρεκέως κατάλεξον,
ἢ πάντες σὺν νηυσὶν ἀπήμονες ἦλθον Ἀχαιοί,
οὓς Νέστωρ καὶ ἐγὼ λίπομεν Τροίηθεν ἰόντες,
ἦέ τις ὤλετ' ὀλέθρῳ ἀδευκέι ἧς ἐπὶ νηὸς
ἠὲ φίλων ἐν χερσίν, ἐπεὶ πόλεμον τολύπευσεν'. 490
"ὣς ἐφάμην, ὁ δέ μ' αὐτίκ' ἀμειβόμενος προσέειπεν:
Ἀτρείδη, τί με ταῦτα διείρεαι; οὐδέ τί σε χρὴ
ἴδμεναι, οὐδὲ δαῆναι ἐμὸν νόον: οὐδέ σέ φημι
δὴν ἄκλαυτον ἔσεσθαι, ἐπὴν ἐὺ πάντα πύθηαι.
πολλοὶ μὲν γὰρ τῶν γε δάμεν, πολλοὶ δὲ λίποντο: 495
ἀρχοὶ δ' αὖ δύο μοῦνοι Ἀχαιῶν χαλκοχιτώνων
ἐν νόστῳ ἀπόλοντο: μάχῃ δέ τε καὶ σὺ παρῆσθα.
εἷς δ' ἔτι που ζωὸς κατερύκεται εὐρέι πόντῳ.
"Αἴας μὲν μετὰ νηυσὶ δάμη δολιχηρέτμοισι.
Γυρῇσίν μιν πρῶτα Ποσειδάων ἐπέλασσεν 500
πέτρῃσιν μεγάλῃσι καὶ ἐξεσάωσε θαλάσσης:
καί νύ κεν ἔκφυγε κῆρα καὶ ἐχθόμενός περ Ἀθήνῃ,
εἰ μὴ ὑπερφίαλον ἔπος ἔκβαλε καὶ μέγ' ἀάσθη:
φῆ ῥ' ἀέκητι θεῶν φυγέειν μέγα λαῖτμα θαλάσσης.
τοῦ δὲ Ποσειδάων μεγάλ' ἔκλυεν αὐδήσαντος: 505
αὐτίκ' ἔπειτα τρίαιναν ἑλὼν χερσὶ στιβαρῇσιν

não consigo atravessar este mar empanzinado de peixes?' 470
Ouviu minhas perguntas. A resposta não demorou:
'Não sabes que tua dívida a Zeus não foi saldada? Aliás,
passaste a perna em outros deuses também. Paga o que
deves, embarca e as velas te levarão sem demora à tua
terra por esse mar cor de vinho. A Moira[12] não permitirá que 475
revejas tua gente, nem teu suntuoso palácio, nem tuas
pátrias plagas, antes de retornares às águas do Egito, ao rio
cujas origens se afundam em fontes celestes, para ofertar
hecatombes aos deuses imortais, senhores dos céus de
dilatados limites. Só então receberás do alto a graça do 480
regresso que tanto almejas.' As palavras do Velho me
deixaram de coração partido, já que me ordenava retornar
ao mar nebuloso das costas do Egito por longo, suado
e salgado caminho. Mesmo assim, eu lhe falei
decidido: 'O que ordenas, Velho, terá rigoroso 485
cumprimento. Conta-me, entretanto, sem rodeios, eu te
imploro: os que Nestor e eu deixamos em Troia
já voltaram? Todos? A morte impiedosa colheu alguém
durante a viagem? Quem dos amigos pereceu em
braços queridos, findas as lidas?' O Velho contestou 490
minha perguntas de mau humor: 'Qual é o objetivo
desse inquérito? Que benefício te trará penetrar em
minha mente, por que queres saber o que penso? Se eu
disser o que sei, te prepara, é de chorar. Guerreiros
desapareceram muitos, outros sobrevivem. Dos chefes 495
aqueus vestidos de bronze morreram só dois no
regresso. Tu mesmo presenciaste a morte dos que
tombaram na guerra. Um ainda se encontra preso,
cercado pela vastidão do mar. Ajax, com seus navios
de longos remos, foi a pique. Primeiro Posidon o 500
lançou contra as rochas de Gira, imponentes, embora
o salvasse da morte. Escapou do aniquilamento,
apesar do ódio de Atena. Cometeu a loucura de largar
palavras desaforadas, que, ao arrepio de disposições
celestes, não submergiria no aquoso abismo. A tolice 505
feriu os ouvidos de Posidon. Com o tridente nas mãos

ἤλασε Γυραίην πέτρην, ἀπὸ δ' ἔσχισεν αὐτήν·
καὶ τὸ μὲν αὐτόθι μεῖνε, τὸ δὲ τρύφος ἔμπεσε πόντῳ,
τῷ ῥ' Αἴας τὸ πρῶτον ἐφεζόμενος μέγ' ἀάσθη·
τὸν δ' ἐφόρει κατὰ πόντον ἀπείρονα κυμαίνοντα. 510
ὣς ὁ μὲν ἔνθ' ἀπόλωλεν, ἐπεὶ πίεν ἁλμυρὸν ὕδωρ.
"'σὸς δέ που ἔκφυγε κῆρας ἀδελφεὸς ἠδ' ὑπάλυξεν
ἐν νηυσὶ γλαφυρῇσι· σάωσε δὲ πότνια Ἥρη.
ἀλλ' ὅτε δὴ τάχ' ἔμελλε Μαλειάων ὄρος αἰπὺ
ἵξεσθαι, τότε δή μιν ἀναρπάξασα θύελλα 515
πόντον ἐπ' ἰχθυόεντα φέρεν βαρέα στενάχοντα,
ἀγροῦ ἐπ' ἐσχατιήν, ὅθι δώματα ναῖε Θυέστης
τὸ πρίν, ἀτὰρ τότ' ἔναιε Θυεστιάδης Αἴγισθος.
ἀλλ' ὅτε δὴ καὶ κεῖθεν ἐφαίνετο νόστος ἀπήμων,
ἂψ δὲ θεοὶ οὖρον στρέψαν, καὶ οἴκαδ' ἵκοντο, 520
ἦ τοι ὁ μὲν χαίρων ἐπεβήσετο πατρίδος αἴης
καὶ κύνει ἁπτόμενος ἣν πατρίδα· πολλὰ δ' ἀπ' αὐτοῦ
δάκρυα θερμὰ χέοντ', ἐπεὶ ἀσπασίως ἴδε γαῖαν.
τὸν δ' ἄρ' ἀπὸ σκοπιῆς εἶδε σκοπός, ὅν ῥα καθεῖσεν
Αἴγισθος δολόμητις ἄγων, ὑπὸ δ' ἔσχετο μισθὸν 525
χρυσοῦ δοιὰ τάλαντα· φύλασσε δ' ὅ γ' εἰς ἐνιαυτόν,
μή ἑ λάθοι παριών, μνήσαιτο δὲ θούριδος ἀλκῆς.
βῆ δ' ἴμεν ἀγγελέων πρὸς δώματα ποιμένι λαῶν.
αὐτίκα δ' Αἴγισθος δολίην ἐφράσσατο τέχνην·
κρινάμενος κατὰ δῆμον ἐείκοσι φῶτας ἀρίστους 530
εἷσε λόχον, ἑτέρωθι δ' ἀνώγει δαῖτα πένεσθαι.
αὐτὰρ ὁ βῆ καλέων Ἀγαμέμνονα, ποιμένα λαῶν
ἵπποισιν καὶ ὄχεσφιν, ἀεικέα μερμηρίζων.
τὸν δ' οὐκ εἰδότ' ὄλεθρον ἀνήγαγε καὶ κατέπεφνεν
δειπνίσσας, ὥς τίς τε κατέκτανε βοῦν ἐπὶ φάτνῃ. 535
οὐδέ τις Ἀτρεΐδεω ἑτάρων λίπεθ' οἵ οἱ ἕποντο,
οὐδέ τις Αἰγίσθου, ἀλλ' ἔκταθεν ἐν μεγάροισιν'.
"ὣς ἔφατ', αὐτὰρ ἐμοί γε κατεκλάσθη φίλον ἦτορ,
κλαῖον δ' ἐν ψαμάθοισι καθήμενος, οὐδέ νύ μοι κῆρ
ἤθελ' ἔτι ζώειν καὶ ὁρᾶν φάος ἠελίοιο. 540
αὐτὰρ ἐπεὶ κλαίων τε κυλινδόμενός τε κορέσθην,
δὴ τότε με προσέειπε γέρων ἅλιος νημερτής·
"'μηκέτι, Ἀτρέος υἱέ, πολὺν χρόνον ἀσκελὲς οὕτω

decididas, lançou a nau contra os rochedos de Gira.
Desfez-se em pedaços. Destroços flutuavam, destroços
sumiram nas ondas. A fúria dos ventos arrastou o
insolente à procelosa distância. Este foi o fim. Água   510
salgada invadiu o corpo dele. Com a poderosa
proteção de Hera, incólume navegava a frota de teu
irmão, o comandante Agamênon. A tempestade
só o atingiu nas proximidades das rochas de Meleia.
Ventos devastadores arrastaram impiedosos o navegante   515
aflito ao úmido domínio dos fartos cardumes, ao
longo do território que outrora pertencera a Tieste,
governado agora por Egisto, filho do legendário
monarca. Dali em diante, o regresso ocorreu sem
percalços. Consentiram os deuses que ele pisasse o solo   520
pátrio e revisse seu palácio. Ao desembarcar, beijou a
terra de seus antepassados. Lágrimas em penca
desciam-lhe pela face. Instalado num esconderijo,
um espião acompanhou o desembarque, a mando de
Egisto, com douradas promessas de uma recompensa   525
de dois talentos. O canalha montou guarda por um
ano inteiro. Egisto fez tudo para evitar imprevistos.
O sem-vergonha, ao receber a notícia do regresso, pôs
em execução o crime planejado. Escolheu a dedo vinte
capangas para uma emboscada. Por determinação sua,   530
prepararam um banquete. Ele próprio dirigiu-se a
Agamênon com saudações traiçoeiras. Veio com
aparato de cavalos, de carros, de ardis, de crimes.
Convidou o vitorioso crédulo para a festa e o matou
como sangram bois na estrebaria. Os   535
companheiros do herói o seguiram na morte. Dos
seus guardas não sobrou ninguém. Cadáveres
infestavam a sala.' Meu ânimo quebrou ao ouvir esse
relato. Caí sentado na areia aos coices do choro. Nas
cavernas de mim mesmo eu pedia para morrer. Viver,   540
ver a luz do sol, para quê? Exausto de rolar na areia
em prantos, acudiu-me a orientação do Velho do Mar:
'Já basta! Essa tempestade de lágrimas não te levará

κλαῖ᾿, ἐπεὶ οὐκ ἄνυσίν τινα δήομεν· ἀλλὰ τάχιστα
πείρα ὅπως κεν δὴ σὴν πατρίδα γαῖαν ἵκηαι. 545
ἢ γάρ μιν ζωόν γε κιχήσεαι, ἤ κεν Ὀρέστης
κτεῖνεν ὑποφθάμενος, σὺ δέ κεν τάφου ἀντιβολήσαις.᾿
"ὣς ἔφατ᾿, αὐτὰρ ἐμοὶ κραδίη καὶ θυμὸς ἀγήνωρ
αὖτις ἐνὶ στήθεσσι καὶ ἀχνυμένῳ περ ἰάνθη,
καί μιν φωνήσας ἔπεα πτερόεντα προσηύδων· 550
"'τούτους μὲν δὴ οἶδα· σὺ δὲ τρίτον ἄνδρ᾿ ὀνόμαζε,
ὅς τις ἔτι ζωὸς κατερύκεται εὐρέϊ πόντῳ
ἠὲ θανών· ἐθέλω δὲ καὶ ἀχνύμενός περ ἀκοῦσαι'.
"ὣς ἐφάμην, ὁ δέ μ᾿ αὐτίκ᾿ ἀμειβόμενος προσέειπεν·
'υἱὸς Λαέρτεω, Ἰθάκῃ ἔνι οἰκία ναίων· 555
τὸν δ᾿ ἴδον ἐν νήσῳ θαλερὸν κατὰ δάκρυ χέοντα,
νύμφης ἐν μεγάροισι Καλυψοῦς, ἥ μιν ἀνάγκῃ
ἴσχει· ὁ δ᾿ οὐ δύναται ἣν πατρίδα γαῖαν ἱκέσθαι·
οὐ γάρ οἱ πάρα νῆες ἐπήρετμοι καὶ ἑταῖροι,
οἵ κέν μιν πέμποιεν ἐπ᾿ εὐρέα νῶτα θαλάσσης. 560
σοὶ δ᾿ οὐ θέσφατόν ἐστι, διοτρεφὲς ὦ Μενέλαε,
Ἄργει ἐν ἱπποβότῳ θανέειν καὶ πότμον ἐπισπεῖν,
ἀλλά σ᾿ ἐς Ἠλύσιον πεδίον καὶ πείρατα γαίης
ἀθάνατοι πέμψουσιν, ὅθι ξανθὸς Ῥαδάμανθυς,
τῇ περ ῥηίστη βιοτὴ πέλει ἀνθρώποισιν· 565
οὐ νιφετός, οὔτ᾿ ἂρ χειμὼν πολὺς οὔτε ποτ᾿ ὄμβρος,
ἀλλ᾿ αἰεὶ Ζεφύροιο λιγὺ πνείοντος ἀήτας
Ὠκεανὸς ἀνίησιν ἀναψύχειν ἀνθρώπους·
οὕνεκ᾿ ἔχεις Ἑλένην καί σφιν γαμβρὸς Διός ἐσσι'.
"ὣς εἰπὼν ὑπὸ πόντον ἐδύσετο κυμαίνοντα. 570
αὐτὰρ ἐγὼν ἐπὶ νῆας ἅμ᾿ ἀντιθέοις ἑτάροισιν
ἤια, πολλὰ δέ μοι κραδίη πόρφυρε κιόντι.
αὐτὰρ ἐπεί ῥ᾿ ἐπὶ νῆα κατήλθομεν ἠδὲ θάλασσαν,
δόρπον θ᾿ ὁπλισάμεσθ᾿, ἐπί τ᾿ ἤλυθεν ἀμβροσίη νύξ,
δὴ τότε κοιμήθημεν ἐπὶ ῥηγμῖνι θαλάσσης. 575
ἦμος δ᾿ ἠριγένεια φάνη ῥοδοδάκτυλος Ἠώς,
νῆας μὲν πάμπρωτον ἐρύσσαμεν εἰς ἅλα δῖαν,
ἐν δ᾿ ἱστοὺς τιθέμεσθα καὶ ἱστία νηυσὶν ἐίσῃς,
ἂν δὲ καὶ αὐτοὶ βάντες ἐπὶ κληῖσι καθῖζον·
ἑξῆς δ᾿ ἑζόμενοι πολιὴν ἅλα τύπτον ἐρετμοῖς. 580

a nada. O que aconteceu aconteceu. Pensa no
regresso. Pretendes voltar aos teus domínios como? 545
Encontrarás Egisto vivo? Orestes poderá liquidá-lo
antes de tua chegada. Terás, então, o agrado de seu
enterro.' De coração anuviado, um prazer sutil
começou a esvoaçar no meu peito. Animei-me a falar.
Palavras me voaram pela alva cerca dos dentes: 550
'Mencionaste dois heróis. Quero saber do terceiro.
Ainda está vivo em alguma ilha açoitada pelas ondas?
Já morreu? Ainda que doido de dor, gostaria de saber
a verdade.' A resposta do Velho não demorou:
'O terceiro, o que ocupa o trono de Ítaca, é o filho 555
de Laertes. Eu o vi triste, a cara molhada de lágrimas.
Vive na gruta de Calipso. O sofredor está preso.
A ninfa não permite que o detento a deixe. Perdeu
tudo. Não lhe restam companheiros nem navios para
afrontar a fúria das ondas. Falemos de ti, 560
Menelau, não é vontade dos céus que morras
na hípica Argos. Outro é teu destino. Os imortais
te enviarão às Campinas Elísias, situadas nos
extremos da terra. Farás companhia a Radamântis,
louro como tu. Os homens de lá levam existência 565
paradisíaca: sem nevascas, sem inverno, sem
chuvaradas. Lá Zéfiro sopra ao Oceano brisas
deliciosas do Oeste o ano todo. Receberás
esse prêmio por seres genro de Zeus.'
Dito isso, imergiu o Velho no mar encapelado. 570
Acompanhado dos meus valentes companheiros,
dirigi-me à minha frota. Eu caminhava agitado por
sérias preocupações. Tratamos de preparar a ceia
porque já se aproximava a noite. Acomodamo-nos,
então, na areia ao som do turbulento embate das ondas. 575
Ao despontar a Aurora dos dedos róseos, arrastamos,
antes de tudo, as embarcações às águas salinas. Destros,
erguemos os mastros e ajustamos as velas. Todos a
bordo, os remeiros ocuparam os bancos. Ritmicamente
batem os remos a superfície prateada. Volto à corrente 580

ἂψ δ' εἰς Αἰγύπτοιο διιπετέος ποταμοῖο
στῆσα νέας, καὶ ἔρεξα τεληέσσας ἑκατόμβας.
αὐτὰρ ἐπεὶ κατέπαυσα θεῶν χόλον αἰὲν ἐόντων,
χεῦ' Ἀγαμέμνονι τύμβον, ἵν' ἄσβεστον κλέος εἴη.
ταῦτα τελευτήσας νεόμην, ἔδοσαν δέ μοι οὖρον   585
ἀθάνατοι, τοί μ' ὦκα φίλην ἐς πατρίδ' ἔπεμψαν.

ἀλλ' ἄγε νῦν ἐπίμεινον ἐνὶ μεγάροισιν ἐμοῖσιν,
ὄφρα κεν ἑνδεκάτη τε δυωδεκάτη τε γένηται·
καὶ τότε σ' εὖ πέμψω, δώσω δέ τοι ἀγλαὰ δῶρα,
τρεῖς ἵππους καὶ δίφρον ἐΰξοον· αὐτὰρ ἔπειτα   590
δώσω καλὸν ἄλεισον, ἵνα σπένδῃσθα θεοῖσιν
ἀθανάτοις ἐμέθεν μεμνημένος ἤματα πάντα."
τὸν δ' αὖ Τηλέμαχος πεπνυμένος ἀντίον ηὔδα·
"Ἀτρεΐδη, μὴ δή με πολὺν χρόνον ἐνθάδ' ἔρυκε.
καὶ γάρ κ' εἰς ἐνιαυτὸν ἐγὼ παρὰ σοί γ' ἀνεχοίμην   595
ἥμενος, οὐδέ κέ μ' οἴκου ἕλοι πόθος οὐδὲ τοκήων·
αἰνῶς γὰρ μύθοισιν ἔπεσσί τε σοῖσιν ἀκούων
τέρπομαι. ἀλλ' ἤδη μοι ἀνιάζουσιν ἑταῖροι
ἐν Πύλῳ ἠγαθέῃ· σὺ δέ με χρόνον ἐνθάδ' ἐρύκεις.
δῶρον δ' ὅττι κέ μοι δοίης, κειμήλιον ἔστω·   600
ἵππους δ' εἰς Ἰθάκην οὐκ ἄξομαι, ἀλλὰ σοὶ αὐτῷ
ἐνθάδε λείψω ἄγαλμα· σὺ γὰρ πεδίοιο ἀνάσσεις
εὐρέος, ᾧ ἔνι μὲν λωτὸς πολύς, ἐν δὲ κύπειρον
πυροί τε ζειαί τε ἰδ' εὐρυφυὲς κρῖ λευκόν.
ἐν δ' Ἰθάκῃ οὔτ' ἂρ δρόμοι εὐρέες οὔτε τι λειμών·   605
αἰγίβοτος, καὶ μᾶλλον ἐπήρατος ἱπποβότοιο.
οὐ γάρ τις νήσων ἱππήλατος οὐδ' εὐλείμων,
αἵ θ' ἁλὶ κεκλίαται· Ἰθάκη δέ τε καὶ περὶ πασέων."
ὣς φάτο, μείδησεν δὲ βοὴν ἀγαθὸς Μενέλαος,
χειρί τέ μιν κατέρεξεν ἔπος τ' ἔφατ' ἔκ τ' ὀνόμαζεν·   610
"αἵματός εἰς ἀγαθοῖο, φίλον τέκος, οἷ' ἀγορεύεις·
τοιγὰρ ἐγώ τοι ταῦτα μεταστήσω· δύναμαι γάρ.
δώρων δ' ὅσσ' ἐν ἐμῷ οἴκῳ κειμήλια κεῖται,
δώσω ὃ κάλλιστον καὶ τιμηέστατόν ἐστιν·
δώσω τοι κρητῆρα τετυγμένον· ἀργύρεος δὲ   615

egípcia, nascida em alturas celestes. Tendo ancorado,
pus-me a celebrar hecatombes impecáveis. Aplacada
a ira dos que não morrem, ergui um monumento a
Agamênon com o propósito de perpetuar-lhe a memória.
Cumpridas minhas tarefas, fiz-me ao mar. Com ventos   585
favoráveis, os deuses permitiram que eu retornasse ao lar.

"Quero que permaneças aqui no meu palácio,
pelo menos, por uns onze ou doze dias. Quero que
tenhas a satisfação de partir com ricos presentes,
três corcéis e um carro vistoso, além disso, levarás   590
um cálice raro. Quero que te lembres de mim sempre
que renderes culto aos imortais." O ajuizado filho de
Odisseu retrucou nestes termos: "Átrida, não esperes
que eu permaneça. Se fosse por mim, eu ficaria até um
ano aqui contigo, sem sentir falta de nada, nem da   595
minha casa nem de meus pais. Receber orientação
de ti e ouvir tuas narrativas é um privilégio. Mas os
que deixei em Pilos necessitam da minha presença.
Embora me doa, devo recusar teu convite. Aceitar
teu presente, embora invejável, tampouco é possível.   600
Que faria eu com cavalos em Ítaca? Deixo-os contigo.
Aqui eles ilustram tua honra. És senhor de pradarias
imensas. Campos relvados não te faltam, fartos também
em alfafa, cercam-te trigais ondulantes, branqueja a
cevada. Ítaca é pobre em planícies e prados. Mais do que   605
potros atraem-me cabras. Territórios verdejantes para a
criação de cavalos não temos em nenhuma de nossas
ilhas. De todas, a mais carente é Ítaca." Essas reflexões
despertaram sorrisos nos lábios afeitos a ordens severas.
Acariciando-lhe a cabeça, Menelau falou sereno: "O que   610
dizes, meu filho, vem aquecido por sangue distinto.
Tenho outros presentes. Não me custa trocá-los. Das
riquezas nos meus cofres, pretendo oferecer-te o que
há de mais precioso. Leva um vaso, uma obra de arte.   615

ἔστιν ἅπας, χρυσῷ δ' χείλεα κεκράανται,
ἔργον δ' Ἡφαίστοιο. πόρεν δέ ἑ Φαίδιμος ἥρως,
Σιδονίων βασιλεύς, ὅθ' ἑὸς δόμος ἀμφεκάλυψε
κεῖσέ με νοστήσαντα· τεΐν δ' ἐθέλω τόδ' ὀπάσσαι."
ὣς οἱ μὲν τοιαῦτα πρὸς ἀλλήλους ἀγόρευον, 620
δαιτυμόνες δ' ἐς δώματ' ἴσαν θείου βασιλῆος.
οἱ δ' ἦγον μὲν μῆλα, φέρον δ' εὐήνορα οἶνον·
σῖτον δέ σφ' ἄλοχοι καλλικρήδεμνοι ἔπεμπον.
ὣς οἱ μὲν περὶ δεῖπνον ἐνὶ μεγάροισι πένοντο.

μνηστῆρες δὲ πάροιθεν Ὀδυσσῆος μεγάροιο 625
δίσκοισιν τέρποντο καὶ αἰγανέῃσιν ἱέντες
ἐν τυκτῷ δαπέδῳ, ὅθι περ πάρος, ὕβριν ἔχοντες.
Ἀντίνοος δὲ καθῆστο καὶ Εὐρύμαχος θεοειδής,
ἀρχοὶ μνηστήρων, ἀρετῇ δ' ἔσαν ἔξοχ' ἄριστοι.
τοῖς δ' υἱὸς Φρονίοιο Νοήμων ἐγγύθεν ἐλθὼν 630
Ἀντίνοον μύθοισιν ἀνειρόμενος προσέειπεν·
"Ἀντίνο', ἦ ῥά τι ἴδμεν ἐνὶ φρεσίν, ἦε καὶ οὐκί,
ὁππότε Τηλέμαχος νεῖτ' ἐκ Πύλου ἠμαθόεντος;
νῆά μοι οἴχετ' ἄγων· ἐμὲ δὲ χρεὼ γίγνεται αὐτῆς
Ἤλιδ' ἐς εὐρύχορον διαβήμεναι, ἔνθα μοι ἵπποι 635
δώδεκα θήλειαι, ὑπὸ δ' ἡμίονοι ταλαεργοὶ
ἀδμῆτες· τῶν κέν τιν' ἐλασσάμενος δαμασαίμην."
ὣς ἔφαθ', οἱ δ' ἀνὰ θυμὸν ἐθάμβεον· οὐ γὰρ ἔφαντο
ἐς Πύλον οἴχεσθαι Νηλήιον, ἀλλά που αὐτοῦ
ἀγρῶν ἢ μήλοισι παρέμμεναι ἠὲ συβώτῃ. 640
τὸν δ' αὖτ' Ἀντίνοος προσέφη Εὐπείθεος υἱός·
"νημερτές μοι ἔνισπε, πότ' ᾤχετο καὶ τίνες αὐτῷ
κοῦροι ἕποντ'; Ἰθάκης ἐξαίρετοι, ἦ ἑοὶ αὐτοῦ
θῆτές τε δμῶές τε; δύναιτό κε καὶ τὸ τελέσσαι.
καί μοι τοῦτ' ἀγόρευσον ἐτήτυμον, ὄφρ' ἐὺ εἰδῶ, 645
ἤ σε βίῃ ἀέκοντος ἀπηύρα νῆα μέλαιναν,
ἦε ἑκὼν οἱ δῶκας, ἐπεὶ προσπτύξατο μύθῳ."
τὸν δ' υἱὸς Φρονίοιο Νοήμων ἀντίον ηὔδα·
"αὐτὸς ἑκών οἱ δῶκα· τί κεν ῥέξειε καὶ ἄλλος,
ὁππότ' ἀνὴρ τοιοῦτος ἔχων μελεδήματα θυμῷ 650

Ele é todo de prata, a boca arredonda-se em bordas
de ouro. Sabes quem é o artista? O próprio Hefesto.
Recebi-o de Fédimo, um herói, rei dos sidônios. Ele me
hospedou quando eu voltava de Troia. Coloco-o agora
em tuas mãos." Prolongava-se a conversa de Menelau 620
e Telêmaco. Os convivas que se dirigiam ao palácio
do rei traziam ovelhas e vinho restaurador. Esposas
de vistosos vestidos lembraram-se de enviar
pão. A ceia congregava festiva os convidados.

Entrementes, aglomeravam-se os pretendentes no 625
palácio de Odisseu. Distraíam-se com o arremesso de
discos e dardos no sólido pavimento com a insolente
arrogância de sempre. Antínoo tomou assento junto a
Eurímaco com ares de deus. Por suas atitudes, os dois
tinham assumido o papel de líderes dos pretendentes. 630
Aproximou-se deles Noemon com uma pergunta que
o inquietava: "Conta-me, Antínoo, sabemos quando
é que Telêmaco há de retornar da arenosa Pilos?
Ele navega num navio meu, que agora me faz falta.
Preciso embarcar para as campinas de Élida. Lá 635
me esperam éguas, uma dúzia, e uma tropa de
asnos, indispensáveis. Estamos em época de doma."
A pergunta causou espanto. Ignoravam que Telêmaco
tinha navegado para a Pilos de Neleu. Julgavam que
ele andava ali pelos campos, ocupado com rebanhos 640
ou dando instruções ao porqueiro. Respondeu-lhe
Antínoo, filho de Eupites: "Preciso saber, navegou
para onde? Quem o acompanhou? Jovens de Ítaca?
Assalariados? Escravos? Pergunto porque ele é
capaz de tudo. Intriga-me ainda isso, não me ocultes 645
nada: ele te tomou o navio à força ou tu o cedeste
numa boa a uma solicitação dele?" Interrogado,
respondeu-lhe Noemon, filho de Frônio: "Emprestei-
-lhe meu navio na amizade. Podia agir de outro
jeito? Rogava-me um homem atormentado. 650

αἰτίζῃ; χαλεπόν κεν ἀνήνασθαι δόσιν εἴη.
κοῦροι δ', οἳ κατὰ δῆμον ἀριστεύουσι μεθ' ἡμέας,
οἵ οἱ ἕποντ': ἐν δ' ἀρχὸν ἐγὼ βαίνοντ' ἐνόησα
Μέντορα, ἠὲ θεόν, τῷ δ' αὐτῷ πάντα ἐῴκει.
ἀλλὰ τὸ θαυμάζω: ἴδον ἐνθάδε Μέντορα δῖον   655
χθιζὸν ὑπηοῖον, τότε δ' ἔμβη νηὶ Πύλονδε."
ὣς ἄρα φωνήσας ἀπέβη πρὸς δώματα πατρός,
τοῖσιν δ' ἀμφοτέροισιν ἀγάσσατο θυμὸς ἀγήνωρ.
μνηστῆρας δ' ἄμυδις κάθισαν καὶ παῦσαν ἀέθλων.
τοῖσιν δ' Ἀντίνοος μετέφη Εὐπείθεος υἱός,   660
ἀχνύμενος: μένεος δὲ μέγα φρένες ἀμφιμέλαιναι
πίμπλαντ', ὄσσε δέ οἱ πυρὶ λαμπετόωντι ἐίκτην:
"ὢ πόποι, ἦ μέγα ἔργον ὑπερφιάλως ἐτελέσθη
Τηλεμάχῳ ὁδὸς ἥδε: φάμεν δέ οἱ οὐ τελέεσθαι.
ἐκ τοσσῶνδ' ἀέκητι νέος πάϊς οἴχεται αὔτως   665
νῆα ἐρυσσάμενος, κρίνας τ' ἀνὰ δῆμον ἀρίστους.
ἄρξει καὶ προτέρω κακὸν ἔμμεναι: ἀλλά οἱ αὐτῷ
Ζεὺς ὀλέσειε βίην, πρὶν ἥβης μέτρον ἱκέσθαι.
ἀλλ' ἄγε μοι δότε νῆα θοὴν καὶ εἴκοσ' ἑταίρους,
ὄφρα μιν αὐτὸν ἰόντα λοχήσομαι ἠδὲ φυλάξω   670
ἐν πορθμῷ Ἰθάκης τε Σάμοιό τε παιπαλοέσσης,
ὡς ἂν ἐπισμυγερῶς ναυτίλλεται εἵνεκα πατρός."
"ὣς ἔφαθ', οἱ δ' ἄρα πάντες ἐπῄνεον ἠδ' ἐκέλευον.
αὐτίκ' ἔπειτ' ἀνστάντες ἔβαν δόμον εἰς Ὀδυσῆος.
οὐδ' ἄρα Πηνελόπεια πολὺν χρόνον ἦεν ἄπυστος   675
μύθων, οὓς μνηστῆρες ἐνὶ φρεσὶ βυσσοδόμευον:
κῆρυξ γάρ οἱ ἔειπε Μέδων, ὃς ἐπεύθετο βουλὰς
αὐλῆς ἐκτὸς ἐών: οἱ δ' ἔνδοθι μῆτιν ὕφαινον.
βῆ δ' ἴμεν ἀγγελέων διὰ δώματα Πηνελοπείῃ:
τὸν δὲ κατ' οὐδοῦ βάντα προσηύδα Πηνελόπεια: 680
"κῆρυξ, τίπτε δέ σε πρόεσαν μνηστῆρες ἀγαυοί;
ἦ εἰπέμεναι δμῳῆσιν Ὀδυσσῆος θείοιο
ἔργων παύσασθαι, σφίσι δ' αὐτοῖς δαῖτα πένεσθαι;
μὴ μνηστεύσαντες μηδ' ἄλλοθ' ὁμιλήσαντες
ὕστατα καὶ πύματα νῦν ἐνθάδε δειπνήσειαν: 685
οἳ θάμ' ἀγειρόμενοι βίοτον κατακείρετε πολλόν,
κτῆσιν Τηλεμάχοιο δαΐφρονος: οὐδέ τι πατρῶν

É um favor que não se pode negar. Os
rapazes de sua tripulação são os melhores da
cidade. O comandante, se não é um deus, é Mentor,
de traços manifestamente divinos. O fato me
espanta, porque ontem, pela manhã, vi Mentor aqui, 655
depois de o navio ter partido a Pilos." Dada essa
informação, Noemon dirigiu-se à casa de seu pai.
Essa conversa agitou o peito soberbo de ambos.
Os pretendentes, interrompendo o jogo, uniram-se
a eles. Antínoo, filho de Eupites, falou-lhes agitado. 660
A nuvem negra da ira envolvia-lhe as entranhas.
Os olhos esbugalhados cuspiam fogo: "Amigos,
Telêmaco meteu-se numa empresa ousada. Ele
viajou. E nós pensávamos que ele não seria capaz!
Esse garoto, um fedelho, contrariou a vontade de todos. 665
Equipa um navio, reúne os melhores da cidade!
Este deve ser o princípio de desmandos ainda maiores.
Zeus não permita que ele entre com esse fogo na
idade adulta. Vamos, preparem-me um navio veloz
com vinte homens. Vou armar-lhe uma cilada. 670
Vigiarei o retorno no estreito entre Ítaca e Samos, a
escabrosa. Ele se arrependerá de sair em procura do pai."
As ameaças foram recebidas com louvores. Aplausos!
Erguendo-se, dirigiram-se ao palácio sem perda de
tempo. Não demorou, a resolução chegou aos ouvidos 675
de Penélope. Ela soube do plano dos pretendentes
através de Médon, o arauto, portador das decisões
ouvidas nas proximidades do pátio em que tinha ocorrido
a reunião. Dirigiu-se aos aposentos de Penélope logo
que a reunião terminou. Mal tocou a soleira, falou-lhe a 680
Senhora: "Caro mensageiro, por que te enviaram os
insolentes? Para ordenar que as servas de Odisseu
interrompam seus afazeres e lhes sirvam a ceia? Trazes-
-me a notícia de que anularam o pedido e que, depois
desta refeição, a última, pretendem reunir-se em outro 685
lugar? Vejo diariamente este aglomerado que não
cansa de consumir os bens do meu tolerante Telêmaco.

ὑμετέρων τὸ πρόσθεν ἀκούετε, παῖδες ἐόντες,
οἷος Ὀδυσσεὺς ἔσκε μεθ' ὑμετέροισι τοκεῦσιν,
οὔτε τινὰ ῥέξας ἐξαίσιον οὔτε τι εἰπὼν   690
ἐν δήμῳ, ἥ τ' ἐστὶ δίκη θείων βασιλήων·
ἄλλον κ' ἐχθαίρῃσι βροτῶν, ἄλλον κε φιλοίη.
κεῖνος δ' οὔ ποτε πάμπαν ἀτάσθαλον ἄνδρα ἐώργει.
ἀλλ' ὁ μὲν ὑμέτερος θυμὸς καὶ ἀεικέα ἔργα
φαίνεται, οὐδέ τίς ἐστι χάρις μετόπισθ' εὐεργέων."   695
τὴν δ' αὖτε προσέειπε Μέδων πεπνυμένα εἰδώς·
"αἲ γὰρ δή, βασίλεια, τόδε πλεῖστον κακὸν εἴη.
ἀλλὰ πολὺ μεῖζόν τε καὶ ἀργαλεώτερον ἄλλο
μνηστῆρες φράζονται, ὃ μὴ τελέσειε Κρονίων·
Τηλέμαχον μεμάασι κατακτάμεν ὀξέι χαλκῷ   700
οἴκαδε νισόμενον· ὁ δ' ἔβη μετὰ πατρὸς ἀκουὴν
ἐς Πύλον ἠγαθέην ἠδ' ἐς Λακεδαίμονα δῖαν."
ὣς φάτο, τῆς δ' αὐτοῦ λύτο γούνατα καὶ φίλον ἦτορ,
δὴν δέ μιν ἀμφασίη ἐπέων λάβε· τὼ δέ οἱ ὄσσε
δακρυόφι πλῆσθεν, θαλερὴ δέ οἱ ἔσχετο φωνή.   705
ὀψὲ δὲ δή μιν ἔπεσσιν ἀμειβομένη προσέειπε·
"κῆρυξ, τίπτε δέ μοι πάϊς οἴχεται; οὐδέ τί μιν χρεὼ
νηῶν ὠκυπόρων ἐπιβαινέμεν, αἵ θ' ἁλὸς ἵπποι
ἀνδράσι γίγνονται, περόωσι δὲ πουλὺν ἐφ' ὑγρήν.
ἦ ἵνα μηδ' ὄνομ' αὐτοῦ ἐν ἀνθρώποισι λίπηται;"   710
τὴν δ' ἠμείβετ' ἔπειτα Μέδων πεπνυμένα εἰδώς·
"οὐκ οἶδ' ἤ τίς μιν θεὸς ὤρορεν, ἦε καὶ αὐτοῦ
θυμὸς ἐφωρμήθη ἴμεν ἐς Πύλον, ὄφρα πύθηται
πατρὸς ἑοῦ ἢ νόστον ἢ ὅν τινα πότμον ἐπέσπεν."
ὣς ἄρα φωνήσας ἀπέβη κατὰ δῶμ' Ὀδυσῆος.   715
τὴν δ' ἄχος ἀμφεχύθη θυμοφθόρον, οὐδ' ἄρ' ἔτ' ἔτλη
δίφρῳ ἐφέζεσθαι πολλῶν κατὰ οἶκον ἐόντων,
ἀλλ' ἄρ' ἐπ' οὐδοῦ ἷζε πολυκμήτου θαλάμοιο
οἴκτρ' ὀλοφυρομένη· περὶ δὲ δμῳαὶ μινύριζον
πᾶσαι, ὅσαι κατὰ δώματ' ἔσαν νέαι ἠδὲ παλαιαί.   720
τῆς δ' ἀδινὸν γοόωσα μετηύδα Πηνελόπεια·
"κλῦτε, φίλαι· πέρι γάρ μοι Ὀλύμπιος ἄλγε' ἔδωκεν
ἐκ πασέων, ὅσσαι μοι ὁμοῦ τράφεν ἠδ' ἐγένοντο·
ἣ πρὶν μὲν πόσιν ἐσθλὸν ἀπώλεσα θυμολέοντα,

Os pais dessa gente não lhes contaram como foram
tratados por Odisseu, quando vocês ainda eram
crianças? Meu marido nunca fez mal a ninguém. 690
Ninguém lembra dele uma única palavra ou um gesto
reprovável. Tiveram um rei justo. Reis costumam
desprezar uns e preferir outros. Mas Odisseu nunca
tratou mal a ninguém. O que é que recebemos em
resposta? Ódio, atitudes vergonhosas. Em gratidão 695
não se pensa." Respondeu-lhe Médon, sensato:
"Venerável rainha, esse ainda não é o pior dos males.
O que os pretendentes planejam é muito mais grave.
De maneira alguma o Cronida o consinta! Querem
acabar com a vida de Telêmaco a ferro, quando 700
ele voltar. Ele partiu para saber de notícias do pai
na sagrada Pilos e na abençoada Lacedemônia."
A esta informação, tremeram os joelhos da rainha, o
coração aos pulos. As palavras se atropelaram na
garganta. Os olhos encheram-se de lágrimas. A voz 705
fraquejou. Recuperando-se a custo, falou: "Por que
é que meu filho embarcou nessa aventura? Para
onde o leva a vela enfunada? Os cavalos marítimos
arrastam para as profundezas do mar. Não lhe
restará nem a lembrança do nome." Médon falou-lhe 710
palavras ponderadas: "Não posso dizer-te se foi
um deus que lhe acendeu o desejo ou se a vontade
de viajar a Pilos nasceu da vontade de saber
se o pai voltaria ou se alguma desgraça lhe tinha
obstruído o retorno." Tendo falado assim, atravessou o 715
palácio. Penélope afundou na dor que lhe partia
o coração. Desprezou a tranquilidade das poltronas.
O peso da dor a prostrou na soleira de seu quarto
de sofridos trabalhos. Ela gemia. Rodeavam-na
suas auxiliares, todas, tanto as jovens quanto as 720
enrugadas. Angustiada, falou-lhes, por fim, a rainha:
"Escutem-me, amigas; das que se criaram comigo,
a nenhuma o Olímpio deu mais infortúnios do que
a mim. Primeiro, ele tomou-me um marido de

παντοίης ἀρετῇσι κεκασμένον ἐν Δαναοῖσιν, 725
ἐσθλόν, τοῦ κλέος εὐρὺ καθ' Ἑλλάδα καὶ μέσον Ἄργος.
νῦν αὖ παῖδ' ἀγαπητὸν ἀνηρείψαντο θύελλαι
ἀκλέα ἐκ μεγάρων, οὐδ' ὁρμηθέντος ἄκουσα.
σχέτλιαι, οὐδ' ὑμεῖς περ ἐνὶ φρεσὶ θέσθε ἑκάστη
ἐκ λεχέων μ' ἀνεγεῖραι, ἐπιστάμεναι σάφα θυμῷ, 730
ὁππότ' ἐκεῖνος ἔβη κοίλην ἐπὶ νῆα μέλαιναν.
εἰ γὰρ ἐγὼ πυθόμην ταύτην ὁδὸν ὁρμαίνοντα,
τῷ κε μάλ' ἤ κεν ἔμεινε καὶ ἐσσύμενός περ ὁδοῖο,
ἤ κέ με τεθνηκυῖαν ἐνὶ μεγάροισιν ἔλειπεν.
ἀλλά τις ὀτρηρῶς Δολίον καλέσειε γέροντα, 735
δμῶ' ἐμόν, ὅν μοι δῶκε πατὴρ ἔτι δεῦρο κιούσῃ,
καί μοι κῆπον ἔχει πολυδένδρεον, ὄφρα τάχιστα
Λαέρτῃ τάδε πάντα παρεζόμενος καταλέξῃ,
εἰ δή πού τινα κεῖνος ἐνὶ φρεσὶ μῆτιν ὑφήνας
ἐξελθὼν λαοῖσιν ὀδύρεται, οἳ μεμάασιν 740
ὃν καὶ Ὀδυσσῆος φθῖσαι γόνον ἀντιθέοιο."
τὴν δ' αὖτε προσέειπε φίλη τροφὸς Εὐρύκλεια·
"νύμφα φίλη, σὺ μὲν ἄρ με κατάκτανε νηλέϊ χαλκῷ
ἤ ἔα ἐν μεγάρῳ· μῦθον δέ τοι οὐκ ἐπικεύσω.
ᾔδε' ἐγὼ τάδε πάντα, πόρον δέ οἱ ὅσσ' ἐκέλευε, 745
σῖτον καὶ μέθυ ἡδύ· ἐμεῦ δ' ἕλετο μέγαν ὅρκον
μὴ πρὶν σοὶ ἐρέειν, πρὶν δωδεκάτην γε γενέσθαι
ἢ σ' αὐτὴν ποθέσαι καὶ ἀφορμηθέντος ἀκοῦσαι,
ὡς ἂν μὴ κλαίουσα κατὰ χρόα καλὸν ἰάπτῃς.
ἀλλ' ὑδρηναμένη, καθαρὰ χροῒ εἵμαθ' ἑλοῦσα, 750
εἰς ὑπερῷ' ἀναβᾶσα σὺν ἀμφιπόλοισι γυναιξὶν
εὔχε' Ἀθηναίῃ κούρῃ Διὸς αἰγιόχοιο·
ἡ γάρ κέν μιν ἔπειτα καὶ ἐκ θανάτοιο σαώσαι.
μηδὲ γέροντα κάκου κεκακωμένον· οὐ γὰρ ὀΐω
πάγχυ θεοῖς μακάρεσσι γονὴν Ἀρκεισιάδαο 755
ἔχθεσθ', ἀλλ' ἔτι πού τις ἐπέσσεται ὅς κεν ἔχῃσι
δώματά θ' ὑψερεφέα καὶ ἀπόπροθι πίονας ἀγρούς."
ὣς φάτο, τῆς δ' εὔνησε γόον, σχέθε δ' ὄσσε γόοιο.
ἡ δ' ὑδρηναμένη, καθαρὰ χροῒ εἵμαθ' ἑλοῦσα
εἰς ὑπερῷ' ἀνέβαινε σὺν ἀμφιπόλοισι γυναιξίν, 760
ἐν δ' ἔθετ' οὐλοχύτας κανέῳ, ἠρᾶτο δ' Ἀθήνῃ·

energia leonina, destacado em toda sorte de virtudes. 725
Esplendia-lhe o reome longe: Hélade, Argos.
Tempestades arrebatam-me agora o meu único filho.
Ele some da minha casa, sem eu saber. Desgraçadas!
Ninguém se lembrou de erguer-me do leito, embora
soubessem que ele embarcaria numa dessas naus 730
escuras, que bojudas flutuam no mar? Se eu tivesse
sabido de seus projetos, eu o teria convencido a ficar,
por mais forte que fosse seu desejo. Se não me
ouvisse, ele saberia que me deixaria morta no palácio.
Vamos, mexam-se, quero já a presença de Dólio, meu 735
velho criado, presente de meu pai quando vim para cá.
É ele que cuida do meu jardim, das minhas árvores.
Laertes não pode ignorar o que se passa. Dólio deve
informá-lo já. Pode ser que lhe ocorra uma ideia: sair
correndo pelas ruas aos prantos, agitar o povo, berrar 740
que querem matar um homem justo, o próprio filho
de Odisseu." Aproximou-se uma escrava querida,
Euricleia: "Minha filha, toma um punhal e acaba
comigo ou deixa-me aqui onde sempre estive. Não te
oculto uma só palavra. Eu sabia de tudo. Dei a teu filho 745
o que ele me pediu, vinho, mel... Prendeu-me a um
juramento forte. Antes de doze dias, tu não deverias
saber de nada. Ele não queria que sentisses saudade.
Não desejava, de jeito nenhum, que as lágrimas
molestassem essa tua linda pelezinha. Acompanha-me. 750
Vou dar-te um banho. Precisas mudar de roupa. Sobe,
chama tuas criadas, invoca Palas Atena, filha do
Zeus Porta-Escudo. Ela tem poder para salvar teu filho.
Mas não atormentes com novos tormentos o já
atormentado Laertes. Não creio que os venturosos 755
deuses odeiem os filhos de Arcésio[13]. Não faltará quem
governe este palácio e os seus férteis campos." As
palavras da escrava desanuviaram-lhe o rosto. Saindo
do banho, uma veste limpa cobriu-lhe o corpo.
Subiu a escada acompanhada das mulheres de sua 760
confiança. Levava farinha no cesto para invocar Atena:

"κλῦθί μευ, αἰγιόχοιο Διὸς τέκος, Ἀτρυτώνη,
εἴ ποτέ τοι πολύμητις ἐνὶ μεγάροισιν Ὀδυσσεὺς
ἢ βοὸς ἢ ὄϊος κατὰ πίονα μηρί᾽ ἔκηε,
τῶν νῦν μοι μνῆσαι, καί μοι φίλον υἷα σάωσον,   765
μνηστῆρας δ᾽ ἀπάλαλκε κακῶς ὑπερηνορέοντας."
ὣς εἰποῦσ᾽ ὀλόλυξε, θεὰ δέ οἱ ἔκλυεν ἀρῆς.
μνηστῆρες δ᾽ ὁμάδησαν ἀνὰ μέγαρα σκιόεντα·
ὧδε δέ τις εἴπεσκε νέων ὑπερηνορεόντων·
"ἦ μάλα δὴ γάμον ἄμμι πολυμνήστη βασίλεια   770
ἀρτύει, οὐδέ τι οἶδεν ὅ οἱ φόνος υἷι τέτυκται."
"ὣς ἄρα τις εἴπεσκε, τὰ δ᾽ οὐκ ἴσαν ὡς ἐτέτυκτο.
τοῖσιν δ᾽ Ἀντίνοος ἀγορήσατο καὶ μετέειπε·
"δαιμόνιοι, μύθους μὲν ὑπερφιάλους ἀλέασθε
πάντας ὁμῶς, μή πού τις ἀπαγγείλῃσι καὶ εἴσω.   775
ἀλλ᾽ ἄγε σιγῇ τοῖον ἀναστάντες τελέωμεν
μῦθον, ὃ δὴ καὶ πᾶσιν ἐνὶ φρεσὶν ἤραρεν ἡμῖν."
ὣς εἰπὼν ἐκρίνατ᾽ ἐείκοσι φῶτας ἀρίστους,
βὰν δ᾽ ἰέναι ἐπὶ νῆα θοὴν καὶ θῖνα θαλάσσης.
νῆα μὲν οὖν πάμπρωτον ἁλὸς βένθοσδε ἔρυσσαν,   780
ἐν δ᾽ ἱστόν τ᾽ ἐτίθεντο καὶ ἱστία νηὶ μελαίνῃ,
ἠρτύναντο δ᾽ ἐρετμὰ τροποῖς ἐν δερματίνοισιν,
πάντα κατὰ μοῖραν, ἀνά θ᾽ ἱστία λευκὰ πέτασσαν·
τεύχεα δέ σφ᾽ ἤνεικαν ὑπέρθυμοι θεράποντες.
ὑψοῦ δ᾽ ἐν νοτίῳ τήν γ᾽ ὥρμισαν, ἐκ δ᾽ ἔβαν αὐτοί·   785
ἔνθα δὲ δόρπον ἕλοντο, μένον δ᾽ ἐπὶ ἕσπερον ἐλθεῖν.

ἡ δ᾽ ὑπερῴῳ αὖθι περίφρων Πηνελόπεια
κεῖτ᾽ ἄρ᾽ ἄσιτος, ἄπαστος ἐδητύος ἠδὲ ποτῆτος,
ὁρμαίνουσ᾽ ἤ οἱ θάνατον φύγοι υἱὸς ἀμύμων,
ἦ ὅ γ᾽ ὑπὸ μνηστῆρσιν ὑπερφιάλοισι δαμείη.   790
ὅσσα δὲ μερμήριξε λέων ἀνδρῶν ἐν ὁμίλῳ
δείσας, ὁππότε μιν δόλιον περὶ κύκλον ἄγωσι,
τόσσα μιν ὁρμαίνουσαν ἐπήλυθε νήδυμος ὕπνος·
εὗδε δ᾽ ἀνακλινθεῖσα, λύθεν δέ οἱ ἅψεα πάντα.
ἔνθ᾽ αὖτ᾽ ἄλλ᾽ ἐνόησε θεά, γλαυκῶπις Ἀθήνη·   795
εἴδωλον ποίησε, δέμας δ᾽ ἤικτο γυναικί,

"Ouve-me, filha do Zeus Porta-Escudo. Em outros
tempos, o versátil Odisseu assou em tua homenagem,
neste mesmo palácio, coxas gordas de bois e de
ovelhas. Estás lembrada? Salva agora meu filho   765
desses supermachos, esses malditos pretendentes."
As palavras proferidas entre soluços foram essas.
A deusa não fez ouvidos de mercador. A algazarra
soava na sala sombria. Destacou-se a voz de um
certo supermacho: "Nossa esperta rainha anda, com   770
certeza, ocupada com preparativos de casório. E dos
funerais do filho, ela já sabe?" Falavam por falar.
Não levavam em conta as circunstâncias. Preocupado,
dirigiu-lhes a palavra Antínoo: "Loucos! Calem a
boca! Querem que nossos planos sejam conhecidos lá   775
dentro? Silêncio! Todos de pé e mãos à obra! A
intenção de cada um é a nossa, a de todos." Tendo
dado essa ordem, escolheu vinte para acompanhá-lo
à nau veloz. Lá chegados, afastaram o barco do
litoral. Procederam como de praxe. Na embarcação,   780
elevaram o mastro. Içaram as velas. Prenderam os
remos com tiras de couro. Tudo pronto! Alvo
enfuna-se o pano. Criados trouxeram as armas.
Ancoraram-no com firmeza. Saltaram do barco
para cuidar da ceia. Aguardaram o cair da tarde.   785

Sem provar alimento, a precavida Penélope
encontrava-se reclinada nos seus altos aposentos.
Preocupada, recusou comida e bebida. Qual seria
a sorte do filho? Escaparia da morte? Ou os
pretendentes assassinariam Telêmaco, um homem   790
correto? O que deverá passar pela cabeça duma leoa
amedrontada, quando pessoas a cercam para
apanhá-la? Isso sentiu Penélope, inquieta até ser
vencida pelo sono. Os membros se afrouxaram,
ela adormeceu reclinada. Outro expediente ocorreu a   795
Atena, a deusa dos olhos vigilantes. Suscitou uma

Ἰφθίμη, κούρη μεγαλήτορος Ἰκαρίοιο,
τὴν Εὔμηλος ὄπυιε Φερῇς ἔνι οἰκία ναίων.
πέμπε δέ μιν πρὸς δώματ' Ὀδυσσῆος θείοιο,
ἧος Πηνελόπειαν ὀδυρομένην γοόωσαν 800
παύσειε κλαυθμοῖο γόοιό τε δακρυόεντος.
ἐς θάλαμον δ' εἰσῆλθε παρὰ κληῖδος ἱμάντα,
στῆ δ' ἄρ ὑπὲρ κεφαλῆς, καί μιν πρὸς μῦθον ἔειπεν·
"εὕδεις, Πηνελόπεια, φίλον τετιημένη ἦτορ;
οὐ μέν σ' οὐδὲ ἐῶσι θεοὶ ῥεῖα ζώοντες 805
κλαίειν οὐδ' ἀκάχησθαι, ἐπεί ῥ' ἔτι νόστιμός ἐστι
σὸς παῖς· οὐ μὲν γάρ τι θεοῖς ἀλιτήμενός ἐστι."
τὴν δ' ἠμείβετ' ἔπειτα περίφρων Πηνελόπεια,
ἡδὺ μάλα κνώσσουσ' ἐν ὀνειρείῃσι πύλῃσιν·
"τίπτε, κασιγνήτη, δεῦρ' ἤλυθες; οὔ τι πάρος γε 810
πωλέ', ἐπεὶ μάλα πολλὸν ἀπόπροθι δώματα ναίεις·
καί με κέλεαι παύσασθαι ὀιζύος ἠδ' ὀδυνάων
πολλέων, αἵ μ' ἐρέθουσι κατὰ φρένα καὶ κατὰ θυμόν,
ἣ πρὶν μὲν πόσιν ἐσθλὸν ἀπώλεσα θυμολέοντα,
παντοίης ἀρετῇσι κεκασμένον ἐν Δαναοῖσιν, 815
ἐσθλόν, τοῦ κλέος εὐρὺ καθ' Ἑλλάδα καὶ μέσον Ἄργος·
νῦν αὖ παῖς ἀγαπητὸς ἔβη κοίλης ἐπὶ νηός,
νήπιος, οὔτε πόνων ἐὺ εἰδὼς οὔτ' ἀγοράων.
τοῦ δὴ ἐγὼ καὶ μᾶλλον ὀδύρομαι ἤ περ ἐκείνου·
τοῦ δ' ἀμφιτρομέω καὶ δείδια, μή τι πάθῃσιν, 820
ἢ ὅ γε τῶν ἐνὶ δήμῳ, ἵν' οἴχεται, ἢ ἐνὶ πόντῳ·
δυσμενέες γὰρ πολλοὶ ἐπ' αὐτῷ μηχανόωνται,
ἱέμενοι κτεῖναι πρὶν πατρίδα γαῖαν ἱκέσθαι."
τὴν δ' ἀπαμειβόμενον προσέφη εἴδωλον ἀμαυρόν·
"θάρσει, μηδέ τι πάγχυ μετὰ φρεσὶ δείδιθι λίην· 825
τοίη γάρ οἱ πομπὸς ἅμ' ἔρχεται, ἥν τε καὶ ἄλλοι
ἀνέρες ἠρήσαντο παρεστάμεναι, δύναται γάρ,
Παλλὰς Ἀθηναίη· σὲ δ' ὀδυρομένην ἐλεαίρει·
ἣ νῦν με προέηκε τεΐν τάδε μυθήσασθαι."
τὴν δ' αὖτε προσέειπε περίφρων Πηνελόπεια· 830
"εἰ μὲν δὴ θεός ἐσσι θεοῖό τε ἔκλυες αὐδῆς,
εἰ δ' ἄγε μοι καὶ κεῖνον ὀιζυρὸν κατάλεξον,
ἤ που ἔτι ζώει καὶ ὁρᾷ φάος ἠελίοιο,

imagem, um corpo de mulher, Iftima, filha do bom
Icário. Casada com Eumelo, o casal mora em Feras.
A deusa a enviou ao palácio do admirável Odisseu
para confortar a inconsolável Penélope, remover   800
as lágrimas, os gemidos, o pranto. Puxando a correia
do ferrolho, a amiga entra no quarto. Paira sobre a
cabeça adormecida com estas consoladoras palavras:
"Penélope, dormes de coração aflito? Na verdade,
os deuses, em sua existência despreocupada, não   805
desejam que chores nem te aflijas, pois teu filho já
retorna. Ele não ofendeu os deuses em nada."
Respondeu-lhe a sensata Penélope, suavemente
adormecida nos portais do sonho: "Por que vieste,
irmãzinha? Não costumas visitar-me com frequência.   810
Grande distância nos separa. Queres agora que
eu esqueça gemidos e dores profundas, aglomeradas
no meu peito, na mente. Sabes muito bem que
primeiro perdi meu esposo, um homem excepcional,
leonino. Em virtudes não conheci ninguém igual a ele   815
entre os dânaos. Seu renome espalhou-se pela Hélade
e por Argos. E agora embarcou meu filho numa nau
bojuda, uma criança. De conchavos, de política ele
não sabe nada. Mais do que por meu marido, aflijo-me
por ele. Por ele tremo. Temo que lhe aconteça algo de   820
grave, lá longe, em outras cidades ou no mar. Gente
mal-intencionada, são muitos, planejam coisas contra
ele. Querem matá-lo antes de ele voltar para cá."
Observou-lhe, em resposta, a aparição onírica:
"Coragem! Essas tuas preocupações compactas não   825
levam a nada. Acompanha-o alguém que também
outros guerreiros gostariam de ter como protetora,
a muito poderosa Palas Atena. Ela conhece tuas
aflições e se preocupa contigo. Venho a pedido dela
para te confortar." Penélope, já dona de si, disse-lhe   830
em resposta: "Pareces uma deusa, tua voz soa divina.
Se este é o caso, quero saber mais. Fala-me daquele
grande sofredor. Ele ainda vive? O sol ainda lhe

ἦ ἤδη τέθνηκε καὶ εἰν Ἀίδαο δόμοισι."
τὴν δ' ἀπαμειβόμενον προσέφη εἴδωλον ἀμαυρόν· 835
"οὐ μέν τοι κεῖνόν γε διηνεκέως ἀγορεύσω,
ζώει ὅ γ' ἦ τέθνηκε· κακὸν δ' ἀνεμώλια βάζειν."
ὣς εἰπὸν σταθμοῖο παρὰ κληῖδα λιάσθη
ἐς πνοιὰς ἀνέμων. ἡ δ' ἐξ ὕπνου ἀνόρουσε
κούρη Ἰκαρίοιο· φίλον δέ οἱ ἦτορ ἰάνθη, 840
ὥς οἱ ἐναργὲς ὄνειρον ἐπέσσυτο νυκτὸς ἀμολγῷ.

μνηστῆρες δ' ἀναβάντες ἐπέπλεον ὑγρὰ κέλευθα
Τηλεμάχῳ φόνον αἰπὺν ἐνὶ φρεσὶν ὁρμαίνοντες.
ἔστι δέ τις νῆσος μέσση ἁλὶ πετρήεσσα,
μεσσηγὺς Ἰθάκης τε Σάμοιό τε παιπαλοέσσης, 845
Ἀστερίς, οὐ μεγάλη· λιμένες δ' ἔνι ναύλοχοι αὐτῇ
ἀμφίδυμοι· τῇ τόν γε μένον λοχόωντες Ἀχαιοί.

ilumina os olhos ou a fatalidade o levou para o reino
de Hades? Da visão noturna, Penélope obteve esta 835
resposta: "Dele não sei nada de preciso. Não saberia
dizer se ainda vive ou se já morreu. Evite-se conversa
tola." Esfumou-se, com estas palavras, pelo ferrolho
da porta e dissolveu-se na brisa da noite. Ergueu-se do
sonho a filha de Icário. Ardia-lhe o peito. Como 840
poderia a visão ser tão nítida na sombra da noite?

Tendo embarcado, os pretendentes viajaram por
líquidas veredas. A morte de Telêmaco infestava-lhes
a mente. Acha-se uma ilha rochosa entre Ítaca
e a pedregosa Samo, Ásteris é o nome dela, não é 845
grande. Oferece, entretanto, aos nautas, dois portos
seguros. Os pretendentes ficaram de emboscada ali.

Odisseia, a epopeia das Auroras

Donaldo Schüler

Os olhos fruem a epiderme de pedras, troncos, braços. Teatro, arquitetura, escultura proliferam. Mesmo as ideias platônicas requerem a condição de corpos vivos. A face visível esconde outra cena: distante, misteriosa, assustadora, no palco e no canto das Musas. O visível desdobra-se em camadas, nas artes plásticas, no teatro e na epopeia. Atrai, encanta. Ao declarar que a harmonia invisível é mais forte que a visível, Heráclito traz ao território da reflexão uma experiência já familiar aos apreciadores da arte. Na *Odisseia,* o sol ilumina a ação desde o alvorecer. O sol impera. Por que dividir a narração em cantos, arranjo de filólogos alexandrinos, se Auroras aceleram ou retardam o ritmo dos acontecimentos? Na Aurora ilumina-se o fazer divino e humano. Auroras, em variada formulação, ligam e separam à maneira de um refrão.

Telemaquia (cantos 1 – 4)

1. Antes da primeira Aurora (1.1 – 1.444)

Homero conversa com a Musa. Ele tem opinião. Irrita-se ao lembrar que os companheiros de Odisseu morreram por terem cometido a loucura de abater bois de Hélio, embora o comandante da última nau o tivesse proibido rigorosamente. Quem decide por onde começar é a Deusa. Isso não impede que ouça sugestões. A viveza da narrativa brota dessa conversa. Homero – a que poeta atribuímos esse nome não importa – não se comporta como narrador passivo. Sente-se no direito de reinventar o que a tradição lhe transmitiu.

"O homem canta-me, ó Musa, o das muitas origens, o versátil/ o astuto/ o das muitas faces." Os tradutores escolhem um desses significados de *polýtropos.* Incuravelmente limitados que somos, imperiosa é a escolha. A poesia, com sua sedutora capacidade de dizer várias coisas ao mesmo tempo, até coisas contraditórias, nos liberta, um tanto, do nosso dizer precário. Para diminuir perdas, o que nos impede de inventar o neologismo *polítropo* para reunir os significados enumerados, além de outros que o termo venha a sugerir? Traduziríamos então: "O homem, canta-me, ó Musa, o polítropo"... Ou, *multifacetado*.

Odisseu é um herói polítropo, ao contrário de Aquiles, em quem uma da faces, a fúria implacável (*ménis*), eclipsa as demais. Aquiles é furioso até quando ama, principalmente quando ama: a terra de seus antepassados, companheiros, um amigo ou uma mulher. A fúria de Aquiles não respeita nem as fronteiras da morte. Odisseu frequenta muitos lugares quer geográficos quer caracteriológicos. Age como orador, companheiro, amante, astucioso, cavalheiro, atleta, combatente imaginoso, poeta, marinheiro, artesão, sedutor seduzido, pai, filho. Ele é muitos, ele é polítropo. Ele é tantos que chega a se confundir com o homem enquanto espécie. Mentiu a Polifemo ao dizer que seu nome é Nulisseu (Ninguém)? Ora, quem é todos é ninguém. Foi assim que o entendeu Joyce ao reinventar Odisseu (*Ulisses*) na pele de Leopold Bloom. Quem compara a *Odisseia* com a *Ilíada* observa que os muitos heróis da *Ilíada* contrastam com o único herói da *Odisseia*. Um único que é muitos. Para salientar as muitas faces de Odisseu, o autor da *Odisseia* confronta o herói com vários caracteres femininos: feiticeiras, uma jovem, uma rainha, a esposa fiel, a mãe, uma escrava, a deusa protetora.... Cada uma delas desperta-lhe outra face.

Conheceu o espírito de muitos homens? O polítropo conhece homens polítropos. Com que propósito? Com o propósito de conhecer-se a si mesmo. Não é outra nossa experiência ao navegarmos nos ritmos de Homero. Em torno de Odisseu e no próprio Odisseu nos deparamos com muitos homens. O espírito (*noos*) do homem se desdobra sem limites. Produz muitas culturas, variados costumes. Um cristal de rocha é um cristal de rocha. Um buldogue apresenta comportamento previsível. Só o homem é muitos, imprevisível, pilítropo, multifacetado.

O aedo invoca a Musa, o canto é dela. Enquanto soa a voz da Musa, a comunidade cala reverente. Assim foi no passado. Não é isso que se observa na *Odisseia*. Polítropo já é resposta do cantor à voz da Musa. A Musa, de tanto falar, levou o homem à fala. O aedo se pronuncia sobre um assunto que lhe é familiar. Repete ritualmente como já o fez muitas vezes aos mesmos auditórios. Não se limita a reunir o que o auditório acompanhará em detalhes. Ao dar um apanhado do assunto, comenta. Ao observar que Odisseu é polítropo, atinge em cheio a complexidade da personagem em torno da qual a *Odisseia* se articula. Em breve, o poeta poderá dispensar o amparo das Musas. A voz dos homens compete com a voz das Musas até silenciá-las. A resistência à voz coletiva, à voz do alto está nesse adjetivo, polítropo, cheio de ressonâncias.

As palavras queixosas de Zeus, dirigidas aos deuses reunidos em concílio logo depois da invocação da Musa, confirmam o insurgente falar dos homens. O pai universal lamenta que os homens lhe atribuam males provocados por desmandos deles. Essas vozes impiedosas não estão com certeza sob a orientação da Musa. Há uma insurreição em marcha que já foge ao controle divino. Para fundamentar a insensatez dos protestos humanos, ele argumenta que os homens agem *hyper moron*, contra o que determina *Moros* ou a *Moira*. Cita como exemplo Egisto, assassino de Agamênon, contra o que o saber divino tinha determinado. Ora, os homens, ao agirem contra ordens do alto, penetram no território da liberdade. Nem tudo está sujeito à vontade de Zeus, suposto guardião da ordem. Zeus não é responsável por todos os incidentes. Defendendo-se, Zeus reconhece os limites de sua autoridade. Outras passagens falam da separação entre a Moira e a vontade de Zeus. Movemo-nos em território conflagrado. A rebelião prometeica está em andamento. As palavras e a ação dos homens fogem do controle divino. Deparamo-nos com três instâncias: o destino (*Moros*), Zeus e os homens. A coesão das três foi abalada. Em questão está a liberdade. Só assim, infringida a lei, há liberdade, ação, epopeia.

Homero associa o nome *Odysseus* ao verbo *odýssomai*

(odiar) e ao substantivo *odyne* (ódio). Não foi difícil repetir o jogo em português. Homero gosta de brincar com sons. Procuramos recriar em *palavras aveludadas,* as aliterações de 1.55. Prestamos atenção a efeitos sonoros em toda a epopeia e nos pusemos a reinventá-los.

Palas Atena se faz jovem e guerreira em Mentes. Há algo de divino no jovem: a vida que se renova. É feminina a atração de Mentes, como a de Diadorim no *Grande sertão: veredas,* de Guimarães Rosa. Mentes e Telêmaco são um esboço remoto de Diadorim e Riobaldo. Mentes é a alteridade que leva Telêmaco da adolescência à maturidade. Depois do contato com Mentes, Telêmaco toma decisões adultas que espantam a própria mãe, Penélope. Ela pode retirar-se aos seus aposentos mais tranquila porque agora há um homem em casa para se ocupar dos negócios.

Palas Atena se humaniza em Mentes. Telêmaco é chamado semelhante aos deuses (*theoeidés*). A meio caminho entre o divino e o humano, deuses e homens se encontram. Convivem. O homem se diviniza à medida que assume atos livres.

Para reconhecer Palas Atena, observação convencional não basta. Telêmaco vê no seu interior (*thymós*) o que olhos não veem. É a essa região que Telêmaco recua quando fala coisas que outros não ouvem, não devem ouvir. O diálogo interior existe. Para mantê-lo em proporções aceitáveis, Homero inventa Mentes, um desdobramento de Telêmaco. O filho de Odisseu fala com Mentes como se falasse consigo mesmo. As reflexões de Mentes são as de Telêmaco. No interesse da visibilidade, a epopeia objetiva o que de outra forma se perderia no invisível. Ao espelhar-se em Palas Atena, Telêmaco dá com suas qualidades femininas: serenidade, prudência, conselho.

Palas Atena recomenda a Telêmaco procurar o pai, o modelo que lhe falta. Como achá-lo? Telêmaco começa a encontrar o pai em Palas Atena.

O tempo é escultor inexorável. O filho que Odisseu encontrar não será o filho que ele deixou. Penélope não será a mesma. Não reencontramos o que perdemos. Sendo irreversível o tempo, irremediáveis são as perdas. E há os que trilham a rota da identidade. Procedem como se a personalidade os aguardasse cristalizada em algum lugar. O que somos a cada minuto se destrói e se reconstrói. Navegação. Viagem. De ganhos e de perdas, se faz a vida.

Limitado é o campo de visão das personagens, o do narrador é amplo como o da Musa que sabe tudo. Homero respeita os domínios em que se move? Nem sempre. Como poderia Telêmaco saber que os pretendentes seriam punidos com a morte? O sentimento de justiça dá como certo o que não passa de hipótese. Os atos dos pretendentes clamam por vingança já aqui.

Na sala de banquetes soa a voz de Fêmio. Quem resiste ao canto? O canto reúne beleza e saber. A essas qualidades reunidas todos se rendem. Melodiosa e ritmada, soa a voz. Definem-se os espaços. O público é masculino; feminino é o privado. Penélope, acompanhada de suas criadas, não passa da porta. E é daí que dá ordens. Telêmaco não consente a presença da mãe nem aí. Assuntos públicos são da competência de homens. Pelo menos na provinciana Ítaca. Mas no espaço privado a mulher impera. Laertes não toca em Euricleia, sua escrava, por temor da esposa.

Telêmaco sai do espaço privado e entra no espaço público. A autoridade da mãe é substituída pela autoridade paterna. No espaço privado, feminino, o filho não se desenvolve.

Só há indícios antes da primeira Aurora. O divino (o saber maior que o dos homens) desperta em alguns lugares, em momentos dados. Ilumina Telêmaco e deixa os pretendentes afundados na insolência.

A demorada ausência do herói desencadeara a deterioração de Ítaca. O mundo se movimenta por decisão do narrador que retardou o retorno por quase dez anos no interesse da narrativa. A volta de Odisseu deveria coincidir com a maturidade de Telêmaco. Tarda o pai, cresce o filho. Só agora o tempo amadureceu para o retorno, é o *kairós*. Inverte-se a direção do movimento: da estagnação para a ação, da morte para a vida. Depois de prolongada noite, o sol desponta para a execução do canto. A decisão do concílio dos deuses obedece à estratégia da narrativa. Dois são os núcleos da ação: Ítaca e Ogígia. Como a ação simultânea é estranha ao canto, o narrador conta o que se passou em Ítaca antes de se deslocar para Ogígia.

O sono encerra o dia de muitos augúrios. No sono a vida se regenera. O repouso noturno recebe em Telêmaco um homem de ação. Euricleia, de quem muito ainda se ouvirá, fecha-lhe a porta. Enquanto Telêmaco ingressa no sono por decisão sua, Penélope recebe o sono como um dom, como um entorpecente administrado para remover a tristeza e apagar a lembrança de fatos surpreendentes. Palas Atena fecha-lhe os olhos.

O narrador fecha o agitado panorama dos acontecimentos. Entre um episódio e outro, o repouso. O repouso do receptor. A cortina desce sobre o primeiro ato.

2. Primeira Aurora (2.1 – 2.434)

O despertar de Telêmaco lembra o despontar do Sol. O filho de Odisseu sai da escuridão e entra na vida pública, lugar em que brilham os homens. Dois são os lugares em que se distinguem os heróis: a assembleia e o campo de batalha. Telêmaco se veste com a solenidade dos que demandam combates. A veste assinala a natureza e a importância dos atos. Os passos do filho de Odisseu são os de um que decidiu assumir as funções de príncipe. A vida se renova. Telêmaco é outro. A visita dos deuses distingue os agraciados. Palas Atena despertou o que estava adormecido nele. Ele sabe agir só. A retirada dos deuses abre espaço ao agir dos homens. O príncipe entra na assembleia glorioso. O assento do pai, disputado pelos pretendentes, é dele.

A voz dos arautos, silenciada por vinte anos, não divulga o nome de quem convoca a assembleia. Qualquer dos nobres o poderia ter feito. Acorrem todos os homens livres, condição assinalada pelos cabelos longos.

Toma a palavra o mais velho, Egípcio, a quem cabe abrir os trabalhos. O narrador não se contenta com a indicação de suas funções. Entra na vida privada dele. Aqui se distingue a ficção do documento oficial. O documento despersonaliza. A ficção cria personagens. Personagens têm rosto, família, sentimentos, história. O narrador não se contenta em detalhar o passado. Antecipa fatos que o receptor conhecerá depois. O passado cronológico faz-se futuro no plano narrativo. O narrador informa que um dos quatro filhos de Egípcio, o que acompanhou Odisseu na campanha contra Troia, Ântifo pereceu devorado pelo gigante Polifemo. Nome nenhum, como se verá, é mencionado no momento da desgraça. Para o gigante, os gregos são apenas pasto. Que lhe interessam nomes? A glória de Ântifo vem mais tarde, agora, na assembleia de Ítaca. Ântifo vive na dor do pai. Na lembrança do ancião, o filho desaparecido se destaca.

Egípcio, como não sabe quem convocou a assembleia, conjetura. O expediente permite ao narrador oferecer uma visão panorâmica da situação na ilha. A ausência de assembleia por vinte anos é a primeira informação que nos vem de sua fala. Sem o exercício da assembleia, como poderiam funcionar as instituições políticas? Ítaca desperta de uma noite de vinte anos. A vida pública começa a se reorganizar. Ítaca começa a ser afetada pelo polítropo, Odisseu. Durante vinte anos ela se manteve a mesma. A vida politrópica começa aqui.

Toma a palavra Telêmaco. Embora seja filho do rei, Telêmaco, para falar, se dirige ao centro como todos os demais. A assembleia nivela. O cetro não distingue o sangue, o cetro confere autoridade a quem fala. Este é seu primeiro discurso, cuidadosamente preparado até ao gesto final. Tomado de fúria, Telêmaco lança o cetro ao chão. Sua intenção não é dizer a verdade, mas comover a assembleia, de outro modo não teria dito que o pai está morto, embora esteja convencido do contrário. Telêmaco apresenta-se como um órfão desamparado, sem forças para pôr ordem em sua própria casa, sem autoridade para proteger a mãe do assédio de indesejados. Espera que os itacenses, lembrados dos bons serviços que Odisseu, seu pai, lhes prestou, façam justiça, livrando sua casa dos desmandos de pretendentes que há anos não se pejam de desmantelar a fortuna do rei. Percebe-se que a retórica já alcançou estágio apreciável na vida pública. A espada e dois cachorros que acompanham o príncipe assinalam determinação. Tanto o manejo das armas quanto o discurso convincente distinguem o herói. Tocado por Palas Atena, que não está presente, Telêmaco fala. A deusa da sabedoria desperta o saber, ausentando-se.

Antínoo mostra outro aspecto da mesma questão. Telêmaco tinha apresentado a mãe como mulher sofredora, incapaz de sustentar a situação adversa. Outra é a imagem que nos vem de Penélope através das palavras de Antínoo. Do discurso do pretendente nasce uma heroína. Se conseguiu fugir do jugo de novo casamento, foi por sagacidade sua.

Penélope argumentara com a morte eminente de Laertes, pai de seu marido. Homenageá-lo é seu dever. Não é outro o sentido da confecção da mortalha que lhe toma longas horas de trabalho. Faz, entretanto, da adversidade força. A morte não é só um fato biológico, a morte impõe deveres. Sendo limite, a morte convoca urgências. Penélope joga com a morte. Singulariza-se nisso. Heroína completa, ela se distingue na habilidade das mãos e nos dotes do espírito. Isso a eleva à galeria das heroínas legendárias. Se Helena foi conhecida pela beleza, Penélope se imortalizou pela sagacidade. As mulheres não se reduzem a um único padrão de feminilidade.

Penélope desafia os pretendentes. É imperioso defender-se dela. Se Telêmaco pretende assumir a direção de sua casa, assim argumenta Antínoo, tome as medidas que as circunstâncias impõem. Persuada a mãe a abandonar as artimanhas com as quais vem iludindo os pretendentes e o povo de Ítaca. Devolva Penélope ao pai para que as núpcias se possam realizar conforme os costumes.

As exigências de Antínoo batem na resistência de Telêmaco. Agir violentamente contra a mãe tem graves consequências sociais e morais. Como poderia o infrator fugir da justiça humana e divina? Ademais, quem lhe garante que o pai esteja morto? Telêmaco esquece deliberadamente a certeza de há pouco. Já não se trata de comover o auditório. Debilitado pelas revelações de Antínoo, às quais não fez alusão nenhuma, espera-se que apresente argumentos convincentes de que não deverá ceder aos imperativos do adversário.

Ítaca nos aparece dramaticamente no debate travado em praça pública. Descrições não há. O cenário humano e político se revela no confronto de antagonistas. O mundo desperta quando tocado pelo homem.

A sessão é interrompida por um estranho voo de aves que pressagiam o retorno do rei e a morte dos que lhe molestaram a mulher durante sua ausência. Por que essa intervenção supersticiosa num ambiente desenvolvido com tanta perspicácia? Estratégias do narrador para antecipar o futuro e submeter o episódio inteiro ao signo da morte. Na economia do poeta, o voo das águias, de expressivo efeito cinematográfico, alude ao que há de vir. O episódio das aves introduz um recurso poético que antecipa o cinema. A imagem adverte sobre o que no futuro poderá ocorrer.

O signo das águias requer exame. Sendo ambíguo, as interpretações divergem. Haliterses (na interpretação exprime-se o desejo) entende que o signo anuncia a volta de Odisseu. Opõe-se Eurímaco, outro pretendente, para quem as águias confirmam o que dissera Antínoo. Signos, ainda que sagrados, não extinguem a dúvida. Suscitam controvérsias.

Telêmaco adapta os projetos às circunstâncias. Recusado o pedido que os pretendentes deixem o palácio, pede uma nau para buscar notícias do pai em Pilos e Esparta. O expediente iguala-se ao véu de Penélope, novo recurso para protelar o casamento. Mãe e filho igualam-se na astúcia.

Percebendo a intransigência dos pretendentes, Mentor, velho amigo de Odisseu, incita o povo à rebelião. Ante a ameaça, Evenor, um dos pretendentes, recorre ao argumento da força. Uma rebelião contra os pretendentes não teria êxito nem com a presença de Odisseu. Inseguro, entretanto, do êxito, concorda com a partida de Telêmaco, embora lhe pareça melhor que trate de obter notícias do pai na própria ilha. A insegurança o lança em contradições. Para evitar que o conflito se agrave, dissolve a assembleia que ele não convocou.

Prisioneiro em sua própria ilha, Telêmaco terá que recorrer à solércia para burlar a vigilância dos pretendentes, que agem como um partido organizado e forte. Esse é o conselho de Mentes, Palas Atena, na forma de um aliado de Odisseu, os próprios pensamentos de Telêmaco, objetivados na deusa.

Telêmaco retorna ao palácio e à alegre companhia dos pretendentes sem mostrar-lhes a cordialidade costumeira. Os elos estão rompidos. Risos, ditos irônicos, insultos. Reunião de bêbados. Entre opiniões emitidas ao acaso, elevam-se conjeturas reais: o risco que ronda os pretendentes e a viagem de Telêmaco que, no mar, poderá ter o destino do pai.

Telêmaco se retira. Ao preparar a viagem, outra voz pretende retê-lo no palácio. Sem ameaças dessa vez, voz de afeto, as palavras da ama fiel, Euricleia.

Prostrados os pretendentes pela embriaguez, Telêmaco se evade, protegido pela noite, com uma nau emprestada, tripulada por gente reunida às pressas.

O dia iniciado no brilho do discurso acaba em fuga noturna.

A assembleia dos itacenses reflete a assembleia divina.

3. Segunda Aurora (3.1 – 3.403)

Esta Aurora não é só início de ação, ela marca também o fim da navegação noturna desde o porto de Ítaca. A longa noite de Ítaca, noite de vinte anos, termina na Aurora de Pilos. Lá, a insolência, aqui, a piedade. O povo de Pilos sacrifica aos deuses. Nestor, o sábio, atribui a eles a sorte de estar salvo em sua terra, em meio a notórios infortúnios.

A reserva de Telêmaco (o receio de falar) é própria de principiante. O aplaudido discurso que proferiu em Ítaca não foi suficiente para remover-lhe o temor. Acresce que está em terra estranha, ante um ancião renomado, companheiro do pai, Nestor. O aprendizado é lento. A viagem é de aprendizagem.

Soam nomes ilustres, silenciados em Ítaca. A nobreza itacense está interessada em apagar o passado, declará-lo morto.

O passado da Grécia desponta como o futuro de Telêmaco, o tempo em que Telêmaco deverá entrar. O destino adverso que perseguiu a muitos reforça a insegurança da vida humana. Êxito nenhum afasta perigos. Muitos dos que alcançaram a vitória em terra pereceram no mar. A vigilância é imperiosa.

Vem o exemplo de Orestes, enfaticamente lembrado, exemplar para o Telêmaco indeciso. Ao contrário do que ocorre na tragédia de Ésquilo, a ênfase recai sobre a ação ignominiosa de Egisto, que se apropriou da esposa de Agamêmnon durante a ausência das tropas gregas na guerra contra Troia. Egisto e os pretendentes de Ítaca se igualam. A reação de Orestes, a espada que atravessa o amante da mãe, é resposta à pergunta tácita: como proceder com os pretendentes? Da culpa de Clitemnestra não se fala. Ela não é mais que uma mulher seduzida. Da culpa de Agamêmnon também não. Orientar Telêmaco é o objetivo da versão de Nestor. Antes da criação do tribunal, o filho acumula as funções de carrasco e de juiz quando o crime imobiliza o pai.

A formação de Telêmaco está em andamento. Nestor, que lhe revela episódios significativos do passado, é um de seus instrutores.

4. Terceira Aurora (3.404 – 3.490)

Ao romper do dia, Nestor ordena um sacrifício em homenagem a Atena. A religiosidade da gente de Pilos contrasta com a insolência da nobreza itacense. A narração minuciosa realça a solenidade da cerimônia.

Policasta, filha mais nova do anfitrião, banha Telêmaco. A homenagem distingue o estrangeiro que, depois de untado e vestido, ocupa assento ao lado do rei.

De Nestor é o carro que leva Telêmaco a Menelau, em Esparta. O filho de Odisseu parte acompanhado de Pisístrato, filho do rei. O narrador não se demora em descrever a viagem. No palácio de Diocles pernoitam. Do que se passou aí, o narrador não diz nada. A casa de Diocles não é mais que uma estação no trajeto a Esparta.

5. Quarta Aurora (3.491 – 4.305)

A viagem continua na alvorada. Chegados em Esparta, surpreendem a cidade em festa. Celebram-se as núpcias de um filho e de uma filha do rei. O cansaço estampa-se no suor dos cavalos, desatrelados por escravos. A narrativa, omissa quanto a detalhes da viagem, demora-se na euforia palaciana. Canta um aedo ao som da cítara. Saltimbancos.

A experiência ensinou a Menelau o valor sagrado da hospitalidade. Dá com a decisão adequada por ter vivido muito. O que ele aprendeu faz parte do seu patrimônio. O serviçal é inferior a Menelau por não ter a experiência que o amo acumulou. Menelau o chama de *népios* (infantil). Apesar da idade, o serviçal é ignorante como uma criança.

Em Esparta, a ordem está centrada em Menelau. Nas mãos do rei está a continuidade da família, o poder. Menelau cuida até da sorte de um filho bastardo. Telêmaco não tem quem cuide dele, embora seja filho legítimo. Partiu em busca do pai. Vê o que Ítaca poderia ser se Odisseu estivesse no palácio.

O palácio reflete a prosperidade. O sucesso do rei é visível. Aos olhos de Telêmaco, o esplendor de Menelau é divino. Divino é o alimento. No alimento manifesta-se o poder de Zeus, em quem esplende a natureza. A natureza produz o rei. Vem da natureza a vontade de poder. O cuidado com o corpo é o cuidado com aquilo que a natureza produz.

Da casa de Odisseu à casa de Menelau o contraste é flagrante. A austeridade de uma e o fausto de outra. A oposição compreende a região em que uma e outra estão edificadas. Esparta é fértil, o terreno de Ítaca é tão pobre que não dispõe de pastagens apropriadas à criação de cavalos. A ação se movimenta espacial e cronologicamente. Confrontam-se tempos e espaços.

Esparta difere também da religiosidade da cidade de Nestor. Aqui Telêmaco conhece a vida social, mundana.

Menelau explica a origem das riquezas. Lamenta a morte do irmão, de amigos e de Odisseu, tristeza que lhe diminui o prazer da fortuna reunida nas andanças. Consciente dos limites humanos, Menelau se modera. A vida o fez sábio.

Aos olhos responde a voz. O divino leva à reflexão sobre o humano. A voz traduz o invisível, as dores de Menelau. O domínio dos olhos é limitado. A palavra não conhece limites. Devassa o que olhos não veem. Revela o distante, o passado. A miséria humana. O divino percebe-se no silêncio. A palavra revela o perecível. Pelo imperecível mede-se a perecibilidade do homem.

Entra Helena, esplêndida como uma deusa, Homero a compara a Ártemis. Reconhece, de imediato, Telêmaco por semelhanças com Odisseu. A esposa de Menelau fala com desembaraço, embora não seja cômoda a sua situação no palácio ou na Grécia. Carrega a mácula da traição conjugal. Os tradutores de língua portuguesa protegem Helena ao referir-se nesse passo a si mesma. Segundo Odorico Mendes, Helena teria dito que os gregos lutaram em Troia por culpa dela ("por minha culpa"). A culpa se torna cegueira na tradução de Carlos Alberto Nunes. Mas o texto grego diz que seus olhos de cadela (*emeio kynópidos heinek'*) arrastaram os soldados gregos às muralhas de Troia. Anton Weiher, tradutor alemão, bem mais severo que os brasileiros, prefere a tradução literal: "*wegen meiner hündischen Augen*". Mesmo que *kynopis* possa ser interpretado como "desavergonhada", severas são as palavras que Homero coloca na boca da heroína. Não percamos a lembrança dos olhos, importantes na sedução. O olhar, que desempenha papel relevante na cultura grega, pode levar a atos desatinados. A fascinante Helena não era infensa ao poder das imagens que penetram nas retinas. De olhar agudo, percebe no primeiro lance semelhanças entre o jovem que os visitava e Odisseu. Destaca peculiaridades que tinham escapado a seu esposo.

Telêmaco conhece uma mulher da idade de sua mãe, de natureza muito diferente da mãe. Helena, mulher de sociedade, bela e rica, participa dos banquetes, enquanto que Penélope, na ausência do marido, não ousa atravessar a porta do salão de festas. Intimidado pela imponente presença de Menelau e por essa mulher de olhar canino, o jovem cala. Pisístrato, mais cultivado que o hóspede inexperiente, toma a palavra em seu lugar. Como todos têm mortos ou desaparecidos a lamentar, o episódio culmina em lágrimas que nem Helena e Menelau sabem conter.

Entretanto, a alegria da noite não deve ser empanada por fatalidades inevitáveis. É o que observa Menelau. Helena, hábil anfitriã, lembra-se de deitar uma droga no vinho do assustado filho de Odisseu. O entorpecente, atribuído em Ítaca à intervenção divina, é administrado em Esparta por mão humana. No ambiente mundano em que se está, os motivos religiosos recuam. A longa digressão sobre a arte farmacológica de origem egípcia ambienta textualmente o efeito do remédio.

Helena pretende aliviar a tristeza contando histórias alegres. Lembra um episódio jocoso, que só ela conhece, Odisseu em Troia como espião, em farrapos de mendigo. Assegura ter sido a única a reconhecer o guerreiro sob os disfarces. Chegou a recebê-lo em sua própria residência, garantindo-lhe segredo enquanto o banhava. Acrescenta que nessa ocasião já lamentava a insensatez de ter deixado filha e marido, de quem elogia a inteligência e a beleza. Voltando a refletir sobre o seu ato, esquece seus olhos caninos e se diz vítima de uma loucura (*ate*), infundida por Afrodite. Não é essa a única vez que personagens épicas lançam mão dessa explicação para isentar-se de culpa. Agamênon recorre ao mesmo expediente para o ataque malsucedido a Troia.

Menelau, irônico, conta outro episódio. Estando ele e seus companheiros no cavalo de pau, Helena rodeou três vezes o portento, chamando os soldados gregos com a voz das esposas deles. E vinha acompanhado de Deífobo, outro amante. Não fosse Odisseu a tapar a boca dos iludidos, Helena teria posto tudo a perder. Esse incidente, não contestado por Helena, infirma a regeneração.

A conversa não descamba, entretanto, em constrangedora rixa de casal. A tensão se desdobra veladamente. Conversa de salão numa casa real, conduzida com finura em que os interlocutores reagem com suas qualidades pessoais. Conversa de gente de boas maneiras. Através das observações serenas de superfície aparece uma realidade hostil. As versões conflitantes distanciam fala e fato. O narrador recorre a meios que instalam a suspeita.

Telêmaco vem, enfim, à fala. Lamenta que seu pai, embora sábio, não tenha escapado da morte. Atendendo ao desejo de se recolher, Helena providencia o arranjo das acomodações.

6. Quinta Aurora (4.306 – 4.847)

Depois da alegria, os negócios. Pela manhã, Menelau pergunta pela causa da visita. Telêmaco relata os desmandos que infestam o palácio real de Ítaca, ressaltando a necessidade de informações sobre o pai que o orientem nas providências a tomar. Menelau, comovido, recorda a última vez que lhe falaram de Odisseu. Foi em Faro. Nessa ilha, próxima ao Egito, Menelau apoderou-se ardilosamente de Proteu para obter informações indispensáveis ao retorno. A divindade aponta um motivo sagrado para as tentativas frustradas de voltar: a falta de uma hecatombe a Zeus. Menelau soube ainda que Agamênon teria morte violenta e que Odisseu estava preso em Ogígia. Proteu é polítropo à sua maneira. Captar Proteu é apoderar-se do saber multiforme. Ninguém sabe mais que Proteu porque ele se torna as coisas que sabe.

A fala de Menelau introduz o receptor no mundo fantástico em que se moveu Odisseu. Toda vez que o narrador se distancia de lugares conhecidos, empalidecem as formas sensorialmente percebidas. Abrem-se as portas à poesia. O futuro, que abriga apreensões e expectativas, adquire consistências de presente. A narrativa pode seguir tantas direções quantas são as formas de Proteu. Odisseu não é o único narrador. Além do ponto de vista dele temos agora a versão de Nestor, de Menelau, de Helena. Abre-se o leque, nem sempre convergente, de várias visões. A voz das Musas se refrata nas vozes dos narradores. Os ouvintes de Odisseu não sabem tudo. Proteu é uma imagem de Odisseu, polítropo.

A viagem de Telêmaco vincula a Telemaquia ao conjunto do ciclo lendário troiano. Além do contato direto com três dos que retornaram, ouvem-se nomes ilustres: Agamênon, Aquiles, Ajax. A viagem é também uma volta ao mundo do pai. Telêmaco conhece o passado, parte dele. A formação do jovem progride. Como nada é seguro, importa navegar com sabedoria. A busca de Telêmaco não conhece a variedade de incidentes nem a intensidade dramática das viagens de Odisseu. Poderia ser diferente? A busca de Telêmaco é apenas introdutória.

Narrados ao sabor das circunstâncias, os relatos não obedecem a disposição cronológica. A situação evoca o episódio passado conotado de significações presentes. O narrado não se iguala ao acontecido, irrecuperável, mesmo que proceda de protagonistas.

Um corte transfere a ação do palácio de Menelau em festa a Ítaca. Lá Noêmone revela a Antínoo e aos pretendentes a fuga de Telêmaco. Antínoo considera o fato início dos males. Constatam que Telemaco já é adulto, planejam-lhe a morte. A viagem repercute diferentemente na mãe do protagonista. Abandonada pelo filho ameaçado de morte, que resta a Penélope? Abatida, invoca a proteção divina. Para consolá-la, Palas Atena entra no quarto em forma de Iftima, irmã. Não se aflija por Telêmaco, Palas Atena o acompanha. O narrador vai da ação às reações. Essa é a razão do corte. A dor da mãe aflita fecha o episódio centrado em ausências.

A primeira parte do poema termina inconclusa. Telêmaco não encontra informações seguras sobre Odisseu, os pretendentes não se dispersam, Penélope não se mostra favorável a novo casamento. Um prognóstico atroz: Telêmaco poderá ser morto ao retornar. O narrador interrompe essa linha da narrativa com Telêmaco no estrangeiro.

O narrador sabe modular efeitos. Passa do confronto de paixões e do livre debate de ideias no primeiro canto à solene religiosidade do segundo, passando de lá ao ambiente luminoso e mundano do terceiro e às fantásticas aventuras do quarto. Joyce, ao variar os estilos no *Ulisses,* reinventa recursos criados pelo autor de *Odisseia.*

Notas do Editor

1. São inúmeras as referências na *Odisseia* à história de Agamênon, figura central da trágica história familiar que só perde em celebridade à da família de Édipo. Agamênon, assim como Menelau, é filho de Atreu (daí a denominação "Átrida", ou seja, filho de Atreu), rei de Argos. Atreu foi assassinado por Egisto, seu sobrinho e enteado (numa sucessão de ações que remontam a quando Atreu e seu irmão, Tiestes – pai natural de Egisto – assassinaram Crísipo, meio-irmão dos dois e filho ilegítimo de seu pai, Pélope, com a ninfa Axioque). Menelau e Agamênon fogem então para Esparta, onde o rei, Tíndaro, fornece-lhes um exército e possibilita que voltem para casa e expulsem os usurpadores do trono do seu pai. Agamênon torna-se então rei de Argos e casa-se com Clitemnestra, filha de Tíndaro, após matar o primeiro marido desta, Tântalo, e os filhos deles. Posteriormente, Agamênon é nomeado comandante supremo do exército grego enviado a Troia para resgatar Helena; ele se jacta de ter abatido um cervo com uma flecha mais certeira que as da deusa caçadora, Ártemis; esta se enfurece e, para deixar prosseguir a expedição dos gregos, exige que Agamênon lhe sacrifique sua filha Ifigênia. Ele se vê obrigado a obedecer, granjeando a ira da própria esposa, Clitemnestra. Anos depois, ao final da guerra, Agamênon toma, como parte de seu butim, Cassandra, filha do rei Príamo, de Troia, que lhe faz as mais funestas previsões sobre seu futuro. Ao chegar em casa, Egisto, seu primo, em conluio com a rainha Clitemnestra, de quem se tornou amante, assassina Agamênon. As peças de Ésquilo que compõem a *Oresteia* contam essa tragédia e também a glória de Orestes, filho de Agamênon e Clitemnestra, que não descansa até vingar o pai, matando a própria mãe e Egisto.

2. Personificação do destino. Filho da deusa Nix (as trevas superiores, ou noite) e irmão de Tánatos (a morte). Figura sombria, porque consciente do destino que cabe aos outros.

3. Átrida: patrônimo. Literalmente, filho de Atreu. Aqui, usado na acepção de "descendente de".

4. Cronida: patrônimo de Zeus; filho de Cronos.

5. Um dos quatro ramos daquilo que, posteriormente, os romanos vieram a chamar de povo grego.

6. Pai de Odisseu.

7. Aquele que provém de Argos.

8. Também usadas no plural, as Erínias são divindades nascidas da Terra regada pelo sangue de Urano, quando este foi mutilado pelo seu filho, Crono. Ocupam-se de vingar crimes, sobretudo aqueles que atentam contra famílias.

9. Laertes.

10. Abala-Terra: Posidon, filho de Crono e Reia, irmão de Zeus. Senhor dos mares e das águas, com seu tridente provoca terremotos que abrem novos leitos de rios. Também será referido, assim como Zeus, por "Cronida", filho de Crono.

11. Esposa de Posidon e, portanto, senhora dos mares.

12. A Moira ou as Moiras: três divindades – Cloto, Láquesis e Átropo – que definem as vidas humanas, também conhecidas como as fiandeiras. Cloto fia a linha da vida, Láquesis define o conteúdo da vida humana, e Átropo, a morte, quando corta o fio.

13. Pai de Laertes e, portanto, avô de Odisseu.

Sobre o tradutor

Donaldo Schüler nasceu em Videira, Santa Catarina, em 1932. É doutor em Letras e livre-docente pela Universidade Federal do Rio Grande do Sul e pela Pontifícia Universidade Católica do Rio Grande do Sul, e professor titular aposentado em língua e literatura grega da UFRGS. Realizou estágio de pós-doutorado na Universidade de São Paulo, concluído com a publicação do trabalho *Eros: dialética e retórica* (Edusp, 2001). Ministrou cursos em nível de graduação e de pós-graduação em vários países, como Estados Unidos, Canadá, Uruguai, Chile e Argentina, e hoje leciona no Curso de Pós-Graduação em Filosofia da PUCRS, além de atuar como conferencista e professor em várias instituições e universidades. Publicou diversos livros, entre os quais *Teoria do romance* (Ática, 1989), *Narciso Errante, Na conquista do Brasil* (Atelier Editorial, 2001), *Heráclito e seu (dis)curso* (L&PM POCKET, 2000), *Origens do discurso democrático* (L&PM POCKET, 2002), *A construção da Ilíada* (L&PM, 2004) e, no gênero romance, *A mulher afortunada* (Movimento, 1982), *Faustino, Pedro de Malasartes* e *Império caboclo*. Realizou várias traduções, sobretudo de tragédias gregas (Sófocles e Ésquilo). Sua versão para o português do romance *Finnegans Wake,* de James Joyce (Atelier Editorial, 2003), recebeu o prêmio Jabuti, o prêmio de Melhor Tradução da Associação Paulista de Críticos Literários, o Prêmio Açorianos e o prêmio Fato Literário, concedido pela RBS e BANRISUL. Por *Finnício Riovém* (Lamparina, 2004), recebeu o Prêmio Açorianos na categoria literatura infantojuvenil.

Coleção L&PM POCKET (LANÇAMENTOS MAIS RECENTES)

962. **A taberna dos dois tostões** – Simenon
963. **Humor do miserê** – Nani
964. **Todo o mundo tem dúvida, inclusive você** – Édison de Oliveira
965. **A dama do Bar Nevada** – Sergio Faraco
966. **O Smurf Repórter** – Peyo
967. **O Bebê Smurf** – Peyo
968. **Maigret e os flamengos** – Simenon
969. **O psicopata americano** – Bret Easton Ellis
970. **Ensaios de amor** – Alain de Botton
971. **O grande Gatsby** – F. Scott Fitzgerald
972. **Por que não sou cristão** – Bertrand Russell
973. **A Casa Torta** – Agatha Christie
974. **Encontro com a morte** – Agatha Christie
975. (23). **Rimbaud** – Jean-Baptiste Baronian
976. **Cartas na rua** – Bukowski
977. **Memória** – Jonathan K. Foster
978. **A abadia de Northanger** – Jane Austen
979. **As pernas de Úrsula** – Claudia Tajes
980. **Retrato inacabado** – Agatha Christie
981. **Solanin (1)** – Inio Asano
982. **Solanin (2)** – Inio Asano
983. **Aventuras de menino** – Mitsuru Adachi
984. (16). **Fatos & mitos sobre sua alimentação** – Dr. Fernando Lucchese
985. **Teoria quântica** – John Polkinghorne
986. **O eterno marido** – Fiódor Dostoiévski
987. **Um safado em Dublin** – J. P. Donleavy
988. **Mirinha** – Dalton Trevisan
989. **Akhenaton e Nefertiti** – Carmen Seganfredo e A. S. Franchini
990. **On the Road – o manuscrito original** – Jack Kerouac
991. **Relatividade** – Russell Stannard
992. **Abaixo de zero** – Bret Easton Ellis
993. (24). **Andy Warhol** – Mériam Korichi
994. **Maigret** – Simenon
995. **Os últimos casos de Miss Marple** – Agatha Christie
996. **Nico Demo** – Mauricio de Sousa
997. **Maigret e a mulher do ladrão** – Simenon
998. **Rousseau** – Robert Wokler
999. **Noite sem fim** – Agatha Christie
1000. **Diários de Andy Warhol (1)** – Editado por Pat Hackett
1001. **Diários de Andy Warhol (2)** – Editado por Pat Hackett
1002. **Cartier-Bresson: o olhar do século** – Pierre Assouline
1003. **As melhores histórias da mitologia: vol. 1** – A.S. Franchini e Carmen Seganfredo
1004. **As melhores histórias da mitologia: vol. 2** – A.S. Franchini e Carmen Seganfredo
1005. **Assassinato no beco** – Agatha Christie
1006. **Convite para um homicídio** – Agatha Christie
1007. **Um fracasso de Maigret** – Simenon
1008. **História da vida** – Michael J. Benton
1009. **Jung** – Anthony Stevens
1010. **Arsène Lupin, ladrão de casaca** – Maurice Leblanc
1011. **Dublinenses** – James Joyce
1012. **120 tirinhas da Turma da Mônica** – Mauricio de Sousa
1013. **Antologia poética** – Fernando Pessoa
1014. **A aventura de um cliente ilustre** *seguido de* **O último adeus de Sherlock Holmes** – Sir Arthur Conan Doyle
1015. **Cenas de Nova York** – Jack Kerouac
1016. **A corista** – Anton Tchékhov
1017. **O diabo** – Leon Tolstói
1018. **Fábulas chinesas** – Sérgio Capparelli e Márcia Schmaltz
1019. **O gato do Brasil** – Sir Arthur Conan Doyle
1020. **Missa do Galo** – Machado de Assis
1021. **O mistério de Marie Rogêt** – Edgar Allan Poe
1022. **A mulher mais linda da cidade** – Bukowski
1023. **O retrato** – Nicolai Gogol
1024. **O conflito** – Agatha Christie
1025. **Os primeiros casos de Poirot** – Agatha Christie
1026. **Maigret e o cliente de sábado** – Simenon
1027. (25). **Beethoven** – Bernard Fauconnier
1028. **Platão** – Julia Annas
1029. **Cleo e Daniel** – Roberto Freire
1030. **Til** – José de Alencar
1031. **Viagens na minha terra** – Almeida Garrett
1032. **Profissões para mulheres e outros artigos feministas** – Virginia Woolf
1033. **Mrs. Dalloway** – Virginia Woolf
1034. **O cão da morte** – Agatha Christie
1035. **Tragédia em três atos** – Agatha Christie
1036. **Maigret hesita** – Simenon
1037. **O fantasma da Ópera** – Gaston Leroux
1038. **Evolução** – Brian e Deborah Charlesworth
1039. **Medida por medida** – Shakespeare
1040. **Razão e sentimento** – Jane Austen
1041. **A obra-prima ignorada** *seguido de* **Um episódio durante o Terror** – Balzac
1042. **A fugitiva** – Anaïs Nin
1043. **As grandes histórias da mitologia greco-romana** – A. S. Franchini
1044. **O corno de si mesmo & outras historietas** – Marquês de Sade
1045. **Da felicidade** *seguido de* **Da vida retirada** – Sêneca
1046. **O horror em Red Hook e outras histórias** – H. P. Lovecraft
1047. **Noite em claro** – Martha Medeiros
1048. **Poemas clássicos chineses** – Li Bai, Du Fu e Wang Wei
1049. **A terceira moça** – Agatha Christie
1050. **Um destino ignorado** – Agatha Christie
1051. (26). **Buda** – Sophie Royer
1052. **Guerra Fria** – Robert J. McMahon
1053. **Simons's Cat: as aventuras de um gato travesso e comilão – vol. 1** – Simon Tofield
1054. **Simons's Cat: as aventuras de um gato travesso e comilão – vol. 2** – Simon Tofield
1055. **Só as mulheres e as baratas sobreviverão** – Claudia Tajes
1056. **Maigret e o ministro** – Simenon
1057. **Pré-história** – Chris Gosden
1058. **Pintou sujeira!** – Mauricio de Sousa
1059. **Contos de Mamãe Gansa** – Charles Perrault

060. A interpretação dos sonhos: vol. 1 – Freud
061. A interpretação dos sonhos: vol. 2 – Freud
062. Frufru Rataplã Dolores – Dalton Trevisan
063. As melhores histórias da mitologia egípcia – Carmem Seganfredo e A.S. Franchini
064. Infância. Adolescência. Juventude – Tolstói
065. As consolações da filosofia – Alain de Botton
066. Diários de Jack Kerouac – 1947-1954
067. Revolução Francesa – vol. 1 – Max Gallo
068. Revolução Francesa – vol. 2 – Max Gallo
069. O detetive Parker Pyne – Agatha Christie
070. Memórias do esquecimento – Flávio Tavares
071. Drogas – Leslie Iversen
072. Manual de ecologia (vol.2) – J. Lutzenberger
073. Como andar no labirinto – Affonso Romano de Sant'Anna
074. A orquídea e o serial killer – Juremir Machado da Silva
075. Amor nos tempos de fúria – Lawrence Ferlinghetti
076. A aventura do pudim de Natal – Agatha Christie
077. Maigret no Picratt's – Simenon
078. Amores que matam – Patricia Faur
079. Histórias de pescador – Mauricio de Sousa
080. Pedaços de um caderno manchado de vinho – Bukowski
081. A ferro e fogo: tempo de solidão (vol.1) – Josué Guimarães
082. A ferro e fogo: tempo de guerra (vol.2) – Josué Guimarães
083. Carta a meu juiz – Simenon
084(17). Desembarcando o Alzheimer – Dr. Fernando Lucchese e Dra. Ana Hartmann
085. A maldição do espelho – Agatha Christie
086. Uma breve história da filosofia – Nigel Warburton
087. Uma confidência de Maigret – Simenon
088. Heróis da História – Will Durant
089. Concerto campestre – L. A. de Assis Brasil
090. Morte nas nuvens – Agatha Christie
091. Maigret no tribunal – Simenon
092. Aventura em Bagdá – Agatha Christie
093. O cavalo amarelo – Agatha Christie
094. O método de interpretação dos sonhos – Freud
095. Sonetos de amor e desamor – Vários
096. 120 tirinhas de Dilbert – Scott Adams
097. 124 fábulas de Esopo
098. O curioso caso de Benjamin Button – F. Scott Fitzgerald
099. Piadas para sempre: uma antologia para morrer de rir – Visconde da Casa Verde
100. Hamlet (Mangá) – Shakespeare
101. A arte da guerra (Mangá) – Sun Tzu
102. Maigret na pensão – Simenon
103. Meu amigo Maigret – Simenon
104. As melhores histórias da Bíblia (vol.1) – A. S. Franchini e Carmen Seganfredo
105. As melhores histórias da Bíblia (vol.2) – A. S. Franchini e Carmen Seganfredo
106. Psicologia das massas e análise do eu – Freud
107. Guerra Civil Espanhola – Helen Graham
108. A autoestrada do sul e outras histórias – Julio Cortázar
109. O mistério dos sete relógios – Agatha Christie
110. Peanuts: Ninguém gosta de mim... (amor) – Charles Schulz
1111. Cadê o bolo? – Mauricio de Sousa
1112. O filósofo ignorante – Voltaire
1113. Totem e tabu – Freud
1114. Filosofia pré-socrática – Catherine Osborne
1115. Desejo de status – Alain de Botton
1116. Maigret e o informante – Simenon
1117. Peanuts: 120 tirinhas – Charles Schulz
1118. Passageiro para Frankfurt – Agatha Christie
1119. Maigret se irrita – Simenon
1120. Kill All Enemies – Melvin Burgess
1121. A morte da sra. McGinty – Agatha Christie
1122. Revolução Russa – S. A. Smith
1123. Até você, Capitu? – Dalton Trevisan
1124. O grande Gatsby (Mangá) – F. S. Fitzgerald
1125. Assim falou Zaratustra (Mangá) – Nietzsche
1126. Peanuts: É para isso que servem os amigos (amizade) – Charles Schulz
1127(27). Nietzsche – Dorian Astor
1128. Bidu: Hora do banho – Mauricio de Sousa
1129. O melhor do Macanudo Taurino – Santiago
1130. Radicci 30 anos – Iotti
1131. Show de sabores – J.A. Pinheiro Machado
1132. O prazer das palavras – vol. 3 – Cláudio Moreno
1133. Morte na praia – Agatha Christie
1134. O fardo – Agatha Christie
1135. Manifesto do Partido Comunista (Mangá) – Marx & Engels
1136. A metamorfose (Mangá) – Franz Kafka
1137. Por que você não se casou... ainda – Tracy McMillan
1138. Textos autobiográficos – Bukowski
1139. A importância de ser prudente – Oscar Wilde
1140. Sobre a vontade na natureza – Arthur Schopenhauer
1141. Dilbert (8) – Scott Adams
1142. Entre dois amores – Agatha Christie
1143. Cipreste triste – Agatha Christie
1144. Alguém viu uma assombração? – Mauricio de Sousa
1145. Mandela – Elleke Boehmer
1146. Retrato do artista quando jovem – James Joyce
1147. Zadig ou o destino – Voltaire
1148. O contrato social (Mangá) – J.-J. Rousseau
1149. Garfield fenomenal – Jim Davis
1150. A queda da América – Allen Ginsberg
1151. Música na noite & outros ensaios – Aldous Huxley
1152. Poesias inéditas e poemas dramáticos – Fernando Pessoa
1153. Peanuts: Felicidade é... – Charles M. Schulz
1154. Mate-me por favor – Legs McNeil e Gillian McCain
1155. Assassinato no Expresso Oriente – Agatha Christie
1156. Um punhado de centeio – Agatha Christie
1157. A interpretação dos sonhos (Mangá) – Freud
1158. Peanuts: Você não entende o sentido da vida – Charles M. Schulz
1159. A dinastia Rothschild – Herbert R. Lottman
1160. A Mansão Hollow – Agatha Christie
1161. Nas montanhas da loucura – H.P. Lovecraft
1162(28). Napoleão Bonaparte – Pascale Fautrier
1163. Um corpo na biblioteca – Agatha Christie

IMPRESSÃO:

Santa Maria - RS - Fone/Fax: (55) 3220.4500
www.pallotti.com.br